Lorrain

la pétaudière

ISBN 0-7761-2047-6

Dépôt légal — Bibliothèque Nationale du Québec
2e trimestre 1975.

roland lepage

la pétaudière

collection répertoire québécois

Prière aux esprits chagrins,
aux nez trop délicats
de s'abstenir.

AVANT-PROPOS

Fin mai 1974!

Le gouvernement du Québec vient de déposer son fameux bill 22. Le français langue de travail... langue officielle... langue nationale... Les commentaires des éditorialistes, les débats sur la situation linguistique, les analyses et les statistiques s'étalent à pleines pages dans tous les journaux. Droits acquis de la minorité, droits des immigrants, droits de la majorité... À la radio, à la télévision, dans les conversations privées, on n'a plus d'autres sujets de discussion. C'est précisément dans ce climat qu'a été conçu le projet d'écrire LA PÉTAUDIÈRE.

Mon ami André Pagé, directeur de l'École Nationale de Théâtre, me demande une comédie pour les étudiants de troisième année. Nous décidons d'en faire une satire politique sur la question de la langue au Québec. Me souvenant d'Aristophane et des joyeuses bouffonneries que l'actualité de son époque lui a inspirées, je me dis qu'il ne faut pas avoir peur de travailler à gros traits, même de donner carrément dans la farce. Volontairement je m'oriente vers une sim-

plification d'images d'Épinal, je cherche des situations qu'un public populaire puisse saisir de prime abord, comme une caricature. La nécessité pour un peuple de pouvoir s'exprimer pleinement dans sa langue m'apparaît un besoin vital, une fonction naturelle, autant que dormir ou manger. Le fait que souvent, et pendant longtemps, ce peuple ait été désigné par le sobriquet de «Pea Soup» ne pouvait au départ manquer de suggérer certaines idées. Le développement de l'actualité au cours de l'été 1974 et toutes les polémiques accompagnant les débats de l'assemblée nationale allaient presque d'heure en heure me proposer quelque nouvel épisode.

Dans les derniers jours de juillet, la loi définissant le statut linguistique du Québec était votée au parlement. Deux semaines plus tard, la rédaction de LA PÉTAUDIÈRE atteignait au point final. La pièce allait être présentée au public dès le début d'octobre, dans un théâtre qui par une étrange rencontre s'appelle encore le Monument National. Les spectateurs entassés dans la salle à toutes les représentations, des jeunes, des moins jeunes, des étudiants, des gens ordinaires, du «vrai monde», semblent ne pas s'être mépris sur le sens de la farce qui se déroulait sous leurs yeux. On a applaudi. On a conspué certains personnages. On a ri. C'était une comédie. «Castigat ridendo mores», aurait dit l'autre?

Peut-être!

Roland LEPAGE

PERSONNAGES

BAPTISTE, mangeur de soupe aux pois.
MARIA, la femme à Baptiste, mangeuse de soupe aux pois.
LA MÈRE BEAUGRAS, mangeuse de soupe aux pois.
LE GOUVERNEUR, dirigeant de l'administration politique à la Pétaudière.
LE CONSEILLER, adjoint du précédent.
MR. MASTER, mangeur de soupe au barley.
MRS. MASTER, mangeuse de soupe au barley.
LADISLAVA LAPLOUTOVSKA, nouvellement débarquée à la Pétaudière.
BOULI-BOULOU, nouvellement débarqué à la Pétaudière.

Les mêmes neuf interprètes incarneront aussi la foule des habitants de la Pétaudière, tant mangeurs de soupe aux pois que mangeurs de soupe au barley.

DÉCORS

Toute la pièce se situe dans l'île de la Pétaudière, au temps où la population majoritaire des mangeurs de soupe aux pois se trouvait dominée par la minorité des mangeurs de soupe au barley.

Le décor représente schématiquement une place publique, qui, de façon symbolique, figure l'île de la Pétaudière.

En jardin, un panneau constituant le domaine des mangeurs de soupe aux pois.

En cour, lui faisant pendant, un autre panneau, territoire des mangeurs de soupe au barley.

Au fond, un grand praticable pouvant servir de tribune, d'estrade. Là-dessus un troisième panneau, planté sur un pivot central de manière à pouvoir tourner sur lui-même. Cet ensemble constitue le domaine de l'administration, palais gouvernemental, intérieur ou extérieur suivant la face que le panneau présente au public.

Pour encadrer ces trois éléments principaux, plusieurs perches équipées de pancartes, écriteaux, enseignes, ou frises décoratives diverses, pouvant descendre des cintres et y remonter selon les besoins de l'action. Ces décorations se trouveront décrites au fur et à mesure que leur utilisation sera requise par le déroulement de la pièce.

LA PÉTAUDIÈRRE, farce satirique en sept journées,
a été commandée à l'auteur
par la section française
de l'École Nationale de Théâtre
comme exercice public d'interprétation
pour les étudiants de troisième année.
Elle a été créée à Montréal, le 8 octobre 1974,
au théâtre du Monument National,
dans une mise en scène d'André Pagé,
des décors et des costumes de Raymond Corriveau,
avec une musique originale d'André Angelini.

Distribution :

BAPTISTE	Yvon Dumont
MARIA	Diane Maziade
LA MÈRE BEAUGRAS	Evelyne Régimbald
LE GOUVERNEUR	Pierre Lebeau
LE CONSEILLER	Jean-Marc Leclerc
MR. MASTER	Louis Poirier
MRS. MASTER	Jocelyne Saint-Denis
LADISLAVA LAPLOUTOVSKA	Danièle Panneton
BOULI-BOULOU	Pierre Claveau

PROLOGUE

Fanfare et battements de timbales scandant une marche solennelle.
Apparition du chœur. Les neuf acteurs entrent en scène.
Ils sont tous enveloppés d'un ample manteau qui les couvre entièrement, et leur visage se dissimule derrière un demi-masque. Ils s'avancent vers le public.
En même temps, un large écriteau, sur lequel on peut lire le mot **PROLOGUE**, *descend des cintres et s'immobilise au-dessus de leurs têtes.*

TOUS — Nous t'invoquons, ô Apollon, père des muses nourricières ! Et vous tous, dieux et déesses qui avez inspiré notre ancêtre Aristophane !

2 FEMMES — Toi, rieuse Thalie, qui coulas dans ses oreilles le miel de tes chants joyeux et bouffons !

2 FEMMES — Toi, spirituelle Athéna, qui sur sa langue déposas le mordant de la satire et l'ironie du sel attique !

5 HOMMES — Et toi, paillard Dionysos au nez enluminé de verjus,
2 HOMMES — Qui chauffas sa tête d'un vin si généreux qu'il en rota d'admirables comédies,
3 HOMMES — Qui gonflas sa panse d'un vin lourd si abondant qu'il en péta d'innombrables bons mots !
TOUS — Nous vous prions aussi, Dieu tout-puissant, Père et Fils !
5 HOMMES — Et vous, Saint-Esprit,
1 HOMME — Qui sur les têtes bouchées comme cruches soufflez vos langues de feu...
1 HOMME — Et les faites s'embraser comme lanternes éclairant le monde !
4 FEMMES — Vous, bonne Sainte-Vierge et sainte Anne, sa mère,
2 FEMMES — Que toujours avons invoquées,
2 FEMMES — Qui toujours nous avez exaucés et protégés !
3 HOMMES — Vous, anges et saints du bleu paradis !
TOUS — Vous tous qu'ont pieusement révérés messire Françoys Rabelais, notre aïeul,
1 HOMME — Sans pourtant s'empêcher nullement de concocter en son esprit tant de gaillardes fariboles, dont s'esbaudissent encore buveurs de bon vin,
1 HOMME — Tant de fables substantifiques et ingénieuses, dont s'estomirent si fort tous les fins dégustateurs de très réjouissantes gaudrioles !
TOUS — Pis vous autes enfin, nos péres et nos aïeux,
1 FEMME — Beaux amateurs de farces,
1 FEMME — Bons conteurs d'histoères salées,
1 FEMME — Qui t'ed ben savaient point lire ni écrire,
1 FEMME — Mais qui avaient toujours envie d'avoèr du plaisir pis d'l'agrément,
3 HOMMES — Pis qui s'sentaient toujours prêts à se r'lancer pour en pousser une, en attendant de

l'ver l'coude pour es'rincer l'dallot avec un tit coup d'blanc !

5 HOMMES — Vous tous,

4 FEMMES — Toutes vous autes,

TOUS — Qui à c't'heure d'vez toutes vous r'trouver en Olympe ou en paradis,

5 HOMMES — Nous vous invoquons et prions !

4 FEMMES — On vous prie, pis on vous invoque !

5 HOMMES — Aidez-nous !

4 FEMMES — Aidez-nous !

TOUS — Aidez-nous à conter comment par un beau jour,

4 FEMMES — En la grande île de la Pétaudière,

5 HOMMES — Au grand dam de tous les mangeurs de barley,

TOUS — Les habitants des villes et des campagnes ont glorieusement conquis le droit de manger partout leur soupe aux pois et de lâcher sans vergogne des bordées de pets gaillards à tous les nez de la terre !

5 HOMMES — Quant à vous qui êtes assis,

4 FEMMES — Vous autes qui êtes v'nus là pour er' garder pis écouter,

5 HOMMES — Prêtez-nous des yeux clairs,

4 FEMMES — Des oreilles grandes ouvertes,

TOUS — Et débouchez bien vos cruches !

La pancarte annonçant le prologue remonte vivement dans les cintres, en même temps qu'on entend un roulement de timbales suivi de trois coups bien détachés.

I • UN JOUR DE FÊTE

Aussitôt l'éclairage change, devenant plus vif, plus coloré. Une série de perches descendent, chargées de décorations diverses, banderoles, guirlandes, petites oriflammes, mobiles découpés en forme de fleur de lis, tous ces motifs alternativement en deux couleurs: bleu et blanc. Et un nouvel écriteau vient coiffer l'ensemble d'une inscription annonçant le titre de la première journée: **I • UN JOUR DE FÊTE.**

En même temps, la musique attaque un air de danse traditionnel, gigue, reel ou rigodon, joué par une bande de violoneux. Atmosphère de joyeuse fête populaire!

Pendant cette rapide modification du décor, les trois acteurs jouant Baptiste, Maria et la mère Beaugras retirent leurs masques et leurs manteaux et s'en débarrassent en les suspendant vivement aux crochets, patères ou piquets disposés autour du plateau à cet effet. Ils deviennent donc les seuls personnages bien identifiables pour le moment, tandis que les autres interprètes, gardant masques et manteaux, se confondent dans ce que l'on conviendra de considérer comme la foule.

Voilà un procédé qui sera utilisé, suivant les besoins, tout au long de la pièce. Chaque fois qu'on devra se représenter une collectivité, on trouvera un certain nombre d'acteurs sans masques ni manteaux, donc personnages connus, bien individualisés, se détachant sur les autres, qui, sous leur costume uniforme, constituent la masse populaire. Et le parti, le clan auquel appartient la foule, deviendra facilement identifiable par les personnages qui se feront reconnaître. Ainsi, dans cette première journée, la présence de Baptiste, Maria et la mère Beaugras nous indique-t-elle que l'action se situe au milieu des mangeurs de soupe aux pois.

SCÈNE 1

Dès l'attaque de la musique, tout le monde s'est mis à danser. Quelques figures très simples, mais enlevées avec beaucoup d'entrain, scandées par les battements de mains et les «You-hou!...» qui fusent au bon moment.
L'un des acteurs à manteau restera en dehors de la danse et jouera le rôle du «câleur». Les huit autres pourront donc former quatre couples: ils devront se démener, brûler les planches et

meubler le plateau, comme si on avait sur scène toute une population qui s'amuse.
Au départ, les danseurs sont répartis de chaque côté, femmes d'un bord, hommes de l'autre.

CÂLEUR —
Les femm' s'avancent
Cueillir des pois,
R'cul' en cadence
Quand a'nn ont trois !
4 FEMMES — You-hou !...

Les femmes s'avancent en ligne jusqu'au milieu, puis reculent à leurs places.

CÂLEUR —
Les homm' s'avancent
Pour fend' el'bois,
R'tourn' dan'a dépense,
Chargés bon poids !

Les hommes viennent vers le centre, puis reculent sur le côté.

4 HOMMES — You-hou !...
CÂLEUR —
En restant tout' à vos places,
Salu-ez just' devant vous !
Grouillez-vous les vis des g'noux,
Prenez l'bol qui s'trouve en face !
1 FEMME — Envoye, Baptisse ! Déménage tes bottines !
BAPTISTE — Cou' don', t'as-t-y d'la braise en d'ssours des pieds, toè ?
1 HOMME — Arrive icite que j'te pogne, Mariâ !

Hommes et femmes s'avancent les uns vers les autres, se prennent la main pour former une ronde, qui tourne d'abord dans un sens, ensuite dans l'autre.

CÂLEUR —
Pis fait' un tour
Pour chauffer l'four !
Pis r'virez d'bord
Sans pard' el'nord !
TOUS — You-hou !...

Les femmes se groupent au centre tandis que les hommes vont tourner autour d'elles.

CÂLEUR —
La chaudronne est au milieu,
Les femm' dedans !
Ça bouillotte au-d'ssus du feu,
Montrez vos d'vants !

Tous les homm' tourn' alentour,
La louche en l'air !
La soup' chaud' fum' dans la cour,
L'vez vos cuillers !

Chaque homme se choisit une partenaire. Les couples vont exécuter diverses figures au centre.

1 HOMME — V'nez-vous-en avec moè, la mére Beaugrâs !
BEAUGRAS — Ah ! toè, mon sarpent !...
CÂLEUR —
Choisissez vot' compagnie,
Fait's-y des cérémonies.

R'gârdez pas sus la voèsine,
En r'lichant l'bord des babines !

MARIA — Écoute, ambitionne pas sus l'pain bénit, toè-la !

CÂLEUR —

Mettez-vous tout l'mond' par coupes
Pour manger l'mêm' bol de soupe.
Prom'nez-vous tout' deux par deux !
Balancez just' dans l'milieu !
La cuiller en l'air,
La cuiller en bas !
Les quat' fers en l'air,
Les quat' fers en bas !

TOUS — You-hou !...

Les quatre couples vont se diriger vers les quatre coins et se mettre à tourbillonner sur place.

CÂLEUR —

Jusque chez vous r'tournez-vous-en
Pour arriver avant l'printemps !

Pis tout l'mond' tourn', pis tout l'mond' danse,
C'est l'temps d'manger vot' soupe aux pois !
C'est l'temps d'péter, mais en cadence :
Un pet tout seul en vaut pas trois !

Brâssez la mouvett' dans l'pot' de soupe aux pois !
Swignez la bacaiss' dans l'coin d'la boête à bois !

TOUS — You-hou !...

La danse est terminée.
Ils s'arrêtent de tourner et poussent un grand ban, à la fois cri de ralliement et expression d'enthousiasme triomphant.

TOUS —

Prout, prout, prout !
Prout, prout, prout !
Prou-out !... Prou-out !... Prou-out !

Profitant de l'agitation générale, les deux comédiens devant jouer le Gouverneur et le Conseiller s'éclipsent discrètement derrière le panneau du fond.
La mère Beaugras, qui s'était retrouvée vers le premier plan-jardin, se hâte de tirer de derrière le panneau un gros landau d'enfant, un « carosse », équipé comme une cantine roulante, sur lequel trône un énorme chaudron de fer, avec une grande louche et des bols pour tout le monde. Le landau doit être peint dans les mêmes couleurs bleu et blanc que les décorations des frises.
La mère Beaugras frappe de sa louche sur le chaudron de fer, qui résonne comme une cloche.

BEAUGRAS — À c't'heure, y aurait-y pas queuqu'un qui aurait l'goût d'une bonne bolée d'soupe aux pois ?
BAPTISTE — Moè !
MARIA — Moè'tou !
1 HOMME — Moè !
1 FEMME — Moè !
1 HOMME — Moè !
TOUS — Tout l'monde !

Ces indications, 1 Homme *ou* 1 Femme, *signifient que la réplique doit être attribuée à l'un des personnages anonymes de la foule, au choix du metteur en scène.*
Tout le monde s'est pressé avec enthousiasme autour du carosse à soupe.

BEAUGRAS, *tendant un bol bien rempli* — Quins, prends-moè ça, Mariâ! Tu vas voèr que l'nordêt va t'chârrier par la porte à courants d'air.

MARIA — Ah, j'ai assez chaud, là!... Ça f'ra pas d'mal de se r'monter 'a pétaudiére après une danse comme ça.

BAPTISTE — Envoyez, mettez-en, la mére Beaugrâs! Allez-y pas avec el'dos d'la cuiller à pote!

BEAUGRAS, *lui tendant son bol* — Quins, mon Baptisse! Er'charge tes canons, si tu veux ête bon pour lâcher une vraie bordée d'tonnerre.
(À un autre.) Arrive, toè!...

1 HOMME, *s'approchant* — Gênez-vous pas, la mére. C'pas tou'es jours qu'on fête not' fête.

SCÈNE 2

Pendant les dernières répliques, on a vu le Gouverneur et le Conseiller apparaître au panneau du fond. Ils vont s'avancer sur l'estrade dominant le plateau. Ils portent tous deux en sautoir une écharpe blanche et rouge, insigne de leur dignité.

MARIA — Eh! Taisez-vous, v'là l'Gouvarneur!

BAPTISTE — Ben sûr! Si c'est pas mossieur l'Gouvarneur avec mossieur l'Conseiller!

BEAUGRAS — Y a ses papiers, pis y est toute ben peigné. Cartain qu'y va faire un discours.

MARIA — Ben, tâchez d'pas trop râcler l'fond d'vos bols, pour pas y enterrer 'a voèx, hein?

TOUS — Un discours! Un discours! Un discours!...

Tout le monde remonte se grouper autour de l'estrade, pendant que le Gouverneur salue et fait des gestes pour apaiser la foule.

BAPTISTE — Pis r'tenez-vous. Pas l'droèt d'péter tant qu'y aura pas fini d'parler:

GOUVERNEUR, *se raclant la gorge* — Hum! hum! hum!... Monsieur le Conseiller insulaire, Mesdames, Messieurs, mes chers amis concitoyens de notre belle île de la Pétaudière!...
Je ne parlerai pas longtemps, car j'ai l'intention de rester bref et de n'être pas trop long. Permettez-moi pourtant de me réjouir avec l'énorme majorité de la population, qui n'a pas manqué de nous témoigner sa confiance en m'élisant pour gouverner cette île, en même temps que mon collègue, monsieur le Conseiller insulaire. *(Il désigne du geste le Conseiller, qui s'empresse de saluer.)* Comme vous tous aujourd'hui, nous sommes heureux de célébrer ce grand jour où nous fêtons notre fête nationale. En nous rappelant les sacrifices héroïques consentis jadis par nos ancêtres, quand ils ont débarqué sur ces terres, avec leurs premiers sacs de pois, pour semer la graine de nos moissons futures, soyons fiers d'avoir réussi à maintenir chez nous la tradition de la bonne soupe, qui fait encore l'orgueil de nos tables et l'étonnement de nos voisins...

Au beau milieu de l'envolée, Baptiste, qui déjà depuis un moment tentait de vains efforts pour maîtriser une violente tempête intérieure, laisse malencontreusement échapper un vent tumultueux. Murmures réprobateurs pour le faire taire.

BAPTISTE — Prrrrrout!

MARIA, *bas* — Voyons don', Baptisse!...
TOUS — Chut!
GOUVERNEUR, *reprenant sa lancée* — Soyons fiers, dis-je, d'avoir su valeureusement sauvegarder ce pieux héritage, cette soupe aux pois qui représente le plus noble fleuron de notre patrimoine culturel. Notre île, notre belle île, enchâssée à travers un vaste archipel, à côté d'un continent immense, où des populations énormes s'adonnent exclusivement à l'usage de la soupe au barley, notre île s'est vue enchargée par la Providence d'une haute et historique mission...

Maria, gagnée, elle aussi, par la contagion venteuse, pousse bien malgré elle un long soupir en ut dièse majeur.

MARIA — Prou-ou-out!
TOUS — Chut!
MARIA, *bas, rouge de confusion* — C'pas d'ma faute. C'est parti tut seul.
GOUVERNEUR, *reprenant sans désarmer* — D'une haute et historique mission: maintenir bien vive en cette portion étendue de l'univers l'ardente flamme qui brûle sous l'ancestrale chaudronne de soupe aux pois.
Les vicissitudes de l'histoire ont pu nous soumettre, puis nous allier, à nos voisins mangeurs de soupe au barley, nous avons su aujourd'hui trouver moyen de vivre dans l'harmonie avec ces populations aux origines si diverses de la nôtre, dont une partie d'ailleurs est venue s'établir sur nos terres, pour nous aider à les faire fructifier et à les mettre en valeur en les exploitant bien.

Là-dessus, la mère Beaugras décharge une rafale de mitraille bien nourrie.

BEAUGRAS — Prrr... prout! Prou-out! prout! prout!
TOUS — Chut!
1 HOMME, *bas* — Voyons don'!...
BEAUGRAS, *bas* — Quand j'peux pas parler, c'est plus fort que moè, ch'us pas capabe de me r'tenir par les deux boutes.
GOUVERNEUR — Surtout, dirais-je, nous avons réussi à affirmer, à assurer l'autonomie et la souveraineté de notre culture, la culture des pois. Monsieur le Conseiller insulaire et moi-même, d'autant plus fiers de justifier votre confiance que la majorité de la population nous l'a accordée en nous portant au pouvoir, nous nous ferons un devoir sacré de maintenir et de développer, par une saine administration appuyée sur des lois équitables, la prospérité de notre économie et l'épanouissement de nos plus nobles traditions.

Un zéphyr anonyme fait tourner toutes les têtes, sans qu'on parvienne à identifier le responsable de l'interruption.

1 HOMME — Pfrou-ou-ou!...
TOUS — Chut!
GOUVERNEUR — Je ne veux pas plus longtemps par de vains discours suspendre l'allégresse de ces célébrations et contenir l'explosion de la joie populaire. Permettez-moi seulement de vous dire en terminant: soyons fiers de continuer à manger notre soupe aux pois! Mangeons-la toujours, mangeons-la bien! Mangeons-la à notre place au milieu des mangeurs de soupe au barley, sans nous laisser influencer par les voix alarmistes de quelques trouble-fête, qui voudraient nous séparer du reste du monde pour nous faire nous replier dans nos chaudronnes. Et c'est là le programme et la

mission que je saurai m'imposer aussi longtemps que votre confiance me laissera en mains la louche du pouvoir et l'assiette du gouvernement.

BAPTISTE, *enchaînant aussitôt* — Et là-dessus, mes bien chers frères, pétez hardiment, c'est la grâce que je vous souhaite de tout mon cœur !

TOUS — Prrrou-ou-ou...

L'explosion de la bourrasque se perd sous un tonnerre d'applaudissements.

BAPTISTE — Pis oubliez pas que c't un jour de fête. Faut tirer les vingt et un coups d'canons. Un, deux, trois...

TOUS —

Prout ! prout ! prout !
Prout ! prout ! prout !
Prou-out !...Prou-out !... Prou-out !

Tout le monde se tourne face au public.
Au premier rang, Baptiste encadré par Maria et la mère Beaugras. Derrière eux, les quatre personnages de la foule. Au fond, sur l'estrade, le Gouverneur et le Conseiller. Ils se tiennent tous bien droits, comme s'ils allaient entonner un hymne national.

TOUS, *chantant gaillardement et avec entrain* —

Nous, on mang' la soup' de nos péres
Dans nos bols remplis à ras bord.
Par le trou qu'nous ont fait' nos méres,
Nous, on pèt' l'air qu'on a dans l'corps.
  Dans nos bols,
  Prout, prout, prout !
  Par le trou,
  Prout, prout, prout !

Par le trou qu'nous ont fait' nos méres!
Nous, on mange,
Prout, prout, prout!
Nous, on pète,
Prout, prout, prout!
Nous, on pèt' l'air qu'on a dans l'corps!

Quant' les pois bouill' dans nos chaudronnes,
Ça sent bon l'odeur du bon lârd.
Quant' nos vent' plus târd carillonnent,
On entend plus d'un coup d'pétârd.
Ça sent bon,
Prout, prout, prout!
Quant' nos ventes,
Prout, prout, prout!
Quant' nos vent' plus târd carillonnent!
Quant' les pois...
Prout, prout, prout!
On entend,
Prout, prout, prout!
On entend plus d'un coup d'pétârd!

Les bouchons, c'pas fait' pour le monde,
Quand on souff', c'pas yen qu'pour parler.
Nos canons sont là pour réponde
Aux voèsins, les mangeux d'barley.
Quand on souffe,
Prout, prout, prout!
Nos canons,
Prout, prout, prout!
Nos canons sont là pour réponde!
Les bouchons,
Prout, prout, prout!
Aux voèsins,
Prout, prout, prout!
Aux voèsins, les mangeux d'barley!

Un black-out aussi court que possible.
Le temps de remonter dans les cintres l'écriteau et les frises de décorations, de pousser le landau derrière le panneau-jardin.
Les acteurs revêtent ou enlèvent manteaux et masques et se placent pour la scène suivante.

II • UN AUTRE JOUR DE FÊTE, UNE SEMAINE PLUS TARD

L'éclairage se rallume.
Un nouveau jeu de perches descend des cintres, garni de frises décoratives comme à la journée précédente. Mais cette fois, les banderoles, les oriflammes, les guirlandes, ainsi que les couleurs ont changé: tout se trouve en rouge et blanc. Et les mobiles en carton rouge découpé ont pris la forme stylisée de la feuille d'érable.
Un écriteau vient couronner cet ensemble d'une inscription annonçant le titre de la journée: **II • UN AUTRE JOUR DE FÊTE, UNE SEMAINE PLUS TARD.**

SCÈNE 1

Sept personnages se trouvent groupés au centre du plateau. Seuls Mr. Master et Mrs. Master sont parfaitement identifiables. Les cinq autres derrière eux portent le masque et le manteau: c'est la foule. Nous voilà donc en présence des mangeurs de soupe au barley.
Au premier plan, en jardin, un huitième acteur revêtu, lui aussi, du manteau et masqué agira comme présentateur du défilé. Il parle avec un léger accent britannique, comme d'ailleurs tous les mangeurs de soupe au barley.
En fond sonore, une fanfare jouant des marches militaires.

PRÉSENTATEUR — Et maintenant, ladies and gentlemen, le top de notre défilé! Afin de marquer dignement ce jour de fête, nous avons eu le plaisir d'obtenir la participation de trois champions... quite exceptional, really. Voici d'abord, présenté par Mrs. Black, Whisky!

Une comédienne portant masque et manteau, qui se trouvait derrière le panneau-cour, apparaît à l'avant-scène. Elle traîne en laisse par un ruban en quadrillé écossais un chien en carton découpé monté sur des roulettes. Elle va passer ainsi devant la foule et se rendre jusqu'au présentateur, pour revenir ensuite sur ses pas et ressortir derrière le panneau-cour.

4 HOMMES — Oh!
3 FEMMES — Ah!

PRÉSENTATEUR — Comme vous pouvez le voir, Whisky est un magnifique spécimen de scottish terrier. Il a déjà été primé dans sept exhibitions !
3 FEMMES — Ah !
4 HOMMES — Oh !
MRS. MASTER — Remarquable !
MR. MASTER — Remarkable indeed !
MRS. MASTER, *attendrie* — Ah, qu'il a l'air gentil ! He looks so nice ! Vous ne trouvez pas, darling ?
MR. MASTER — Absolument, my dear !
3 FEMMES — So nice !
4 HOMMES — Very remarkable !
3 FEMMES — So cute !
TOUS — So nice and cute !

Tout le monde applaudit, pendant que le chien et sa maîtresse retournent vers la cour.

PRÉSENTATEUR — Now the next one ! Le prochain participant nous sera présenté par sa maîtresse, Mrs. White. Voici Topsy !

La même comédienne réapparaît, tirant cette fois par un ruban vert un autre chien sur roulettes. Elle défilera à l'avant-scène comme précédemment.

4 HOMMES — Oh !
3 FEMMES — Ah !
PRÉSENTATEUR — Topsy est un irish setter au pedigree fameux. Ses parents et ses grands-parents ont été proclamés plusieurs fois champions au Royal Dogs Show du Seashore.
3 FEMMES — Ah !
4 HOMMES — Oh !
MRS. MASTER — Merveilleux !
MR. MASTER — Wonderful indeed !

MRS. MASTER — Ah, qu'il a l'air charmant! He looks so lovely! Vous ne trouvez pas, darling?
MR. MASTER — Absolument, my dear!
3 FEMMES — So nice!
4 HOMMES — Quite wonderful!
3 FEMMES — So cute!
TOUS — So nice and cute!

Tout le monde applaudit, pendant que le chien et sa maîtresse repartent et disparaissent derrière le panneau-cour.

PRÉSENTATEUR — Et pour clore notre défilé, the last, but not the least... j'inviterais Mrs. Brown à nous présenter le champion des champions, celui que vous attendiez tous avec une impatience bien justifiée: Rexy!

Comme les deux autres fois précédentes, la comédienne revient avec un chien à roulettes, celui-là attaché par un ruban rouge. Elle défile devant les spectateurs.

4 HOMMES — Oh!
3 FEMMES — Ah!
PRÉSENTATEUR — Rexy est un bull-dog de grande race, celui-là même que des experts ont proclamé le type le plus pur, the most perfect bull dog. Il a d'ailleurs été primé dans toutes les principales exhibitions de l'archipel et du continent.
3 FEMMES — Ah!
4 HOMMES — Oh!
MRS. MASTER — Superbe!
MR. MASTER — Superb indeed!
MRS. MASTER — Ah! qu'il est mignon, qu'il a l'air adorable! He looks so cute! Vous ne trouvez pas, darling?

MR. MASTER — Absolument, my dear!
3 FEMMES — So nice!
4 HOMMES — So superb!
3 FEMMES — So cute!
TOUS — So nice and cute and superb!

Tout le monde semble au bord de l'orgasme. On applaudit à tour de bras, pendant que la comédienne ramène le chien vers le panneau-cour.

MR. MASTER, *se tournant vers les autres* — Well, my good friends... je pense que nous devons remercier chaleureusement les organisateurs de cette fête si bien réussie. Please, allons-y tous ensemble: hip! hip! hip!
TOUS — Hurray!
MR. MASTER — Hip! hip! hip!
TOUS — Hurray!
MR. MASTER — Hip! hip! hip!
TOUS — Hurray! *(Un grand soupir, comme s'ils étaient épuisés par un si haut sommet d'excitation collective.)* Aaaaah!...
MR. MASTER — Oh! really c'est extraordinaire comme on s'amuse! Don't you think so, my dear?
MRS. MASTER — Tout à fait, darling. Il y a au moins un an que je n'ai pas passé une journée aussi agréable.

Le présentateur est venu se joindre au groupe, de même que la promeneuse de chiens.

4 FEMMES — Ah! vraiment quelle journée!
5 HOMMES — Oui, quelle journée vraiment!
4 FEMMES — What a nice day!
5 HOMMES — Quite a day indeed!
MR. MASTER — Il ne manque plus pour couronner ces réjouissances que l'odeur fumante de la soupe

au barley. Et je crois que mon épouse, Mrs. Master, y a pourvu. Haven't you, my dear?

MRS. MASTER — Of course, darling! The ladies committee présidé par Mrs. Black, Mrs. White, Mrs. Brown and myself vous invite tous à déguster notre glorieux plat traditionnel.

Elle a saisi derrière le panneau-cour un landau d'enfant, qu'elle pousse ensuite devant la foule émerveillée. Il s'agit d'une sorte de cantine roulante, comme celle qu'on a vue précédemment pour la soupe aux pois. Mais celle-ci est décorée en rouge et blanc. Sur le dessus, une marmite avec sa louche, des bols et des cuillers. Tout le monde s'approche avec enthousiasme. Les deux interprètes du Gouverneur et du Conseiller profitent de l'agitation générale pour s'éclipser discrètement.

3 HOMMES — Oh!

4 FEMMES — Ah!

MR. MASTER — Barley soup est une chose tellement merveilleuse!

TOUS — Such a marvelous thing!

MRS. MASTER, *servant la soupe* — Sans la soupe au barley, une fête n'est vraiment pas une fête, really!

4 FEMMES, *jouissant* — Ah!... It is so nice!

3 HOMMES, *idem* — Oh!... It is so hot!

TOUS — It is so nice and hot!

On fait circuler les bols de soupe.

MR. MASTER — Mais dites-moi, my dear, n'est-ce pas l'heure prévue pour le speech du Gouverneur?

MRS. MASTER — Exactly, darling. D'ailleurs le voici justement. Good gracious! quel homme distingué, toujours si bien mis, si bien coiffé!

4 FEMMES — Ah!... Such a nice man!

MR. MASTER — C'est vraiment un type très bien, très accommodant. On s'arrange toujours parfaitement avec lui, don't you think so?

3 HOMMES — Oh, yes!... Such a good fellow!

On a vu apparaître au panneau du fond le Gouverneur accompagné du Conseiller. Il s'avance sur l'estrade, pendant que les autres se sont approchés pour l'écouter.

GOUVERNEUR, *se raclant la gorge* — Hum! hum! hum!... Monsieur le Conseiller insulaire, Mesdames, Messieurs, mes chers amis concitoyens de notre belle île de la Pétaudière.

Je ne parlerai pas longtemps, car j'ai l'intention d'être bref. Permettez-moi pourtant de me réjouir avec vous, avec vous tous, qui m'avez accordé un appui unanime en m'élisant avec une énorme majorité, de même que mon collègue, monsieur le Conseiller insulaire, pour gouverner cette île.

(Il a désigné le Conseiller, qui salue. Applaudissements.)

Nous sommes heureux de célébrer en ce jour une grande fête pour tous les habitants de notre archipel. Si les vicissitudes de l'histoire ont pu jadis opposer mangeurs de soupe aux pois et mangeurs

de soupe au barley, ces époques se trouvent bien révolues, et nous voilà maintenant tous unis pour travailler au bien et à la prospérité de l'ensemble de la population.
Quand les premiers mangeurs de soupe au barley sont débarqués ici, quand ils ont su reconnaître les plus beaux coins de cette île et s'y installer, faisant fructifier la terre, exploitant ses richesses et développant l'industrie, ils nous apportaient leurs plus nobles traditions en même temps qu'ils nous donnaient de grandes et utiles leçons.

3 HOMMES, *s'épanouissant d'aise* — Oh!... That is right!

4 FEMMES — Ah!... That is bright!

TOUS — He is quite right and bright! *(Applaudissements.)*

GOUVERNEUR — Ce n'est pas sans un légitime sentiment de fierté que nous pouvons à présent contempler dans les vastes plaines de la Pétaudière de modestes champs de pois côtoyés par d'immenses plantations de barley, qui croissent à l'ombre des cheminées d'usines où se fabrique la soupe en conserve, cette soupe au barley dont tout l'archipel, tout le continent, la moitié de l'univers partagent la consommation.

4 FEMMES — Ah!... So bright!

3 HOMMES — Oh!... So right!

TOUS — He is so bright and right! *(Applaudissements.)*

GOUVERNEUR — Quelques énergumènes ne parlant que pour eux-mêmes ont bien pu prétendre vouloir nous séparer du reste du monde, nous savons, nous, comme l'énorme majorité de la population d'ailleurs, que l'union fait la force, que la force engendre prospérité et richesse pour ceux qui la détiennent et qu'une île uniquement réservée à la culture des pois serait vouée à la faillite dans une portion du monde où l'économie et la culture sont entièrement fondées sur le barley.

3 HOMMES — Oh ! Right !

4 FEMMES — Ah ! Bright !

TOUS — He is right and bright ! *(Applaudissements.)*

GOUVERNEUR — C'est pourquoi, tant qu'il sera en mon pouvoir, tant que vous nous accorderez, à monsieur le Conseiller et à moi-même, votre confiance et votre appui, nous nous engagerons à faire l'impossible pour que, sur cette île, à côté de l'humble chaudronne de soupe aux pois, puisse toujours continuer à fumer dans la paix et l'opulence l'énorme marmite de soupe au barley.

Un tonnerre d'applaudissements. Le Gouverneur salue.

4 FEMMES, *enthousiastes* — He is a bright man !

3 HOMMES, *idem* — He is the right fellow !

4 FEMMES — Such a man !

3 HOMMES — Such a fellow !

TOUS — And so quite right and bright !

MR. MASTER — Hip ! hip ! hip !

TOUS — Hurray !

MR. MASTER — Hip ! hip ! hip !

TOUS — Hurray !

MR. MASTER — Hip ! hip ! hip !

TOUS — Hurray !

*Se tournant tous vers le public, Mr. et Mrs. Master devant, la foule derrière eux et le Gouverneur sur l'estrade avec le Conseiller, ils entonnent un chant dont le caractère tient à la fois de l'hymne triomphal et du choral protestant. Le ton doit évoquer une mixture d'*O Canada *et du* God save the Queen.

TOUS, *chantant avec ferveur —*
Dieu, reçois nos prières,
Dieu, remplis nos soupières
Et nos champs de barley !

Si ta main nous protège,
Étends nos privilèges
Et nos champs de barley.

Fais que nos marmites victorieuses
Répandent toujours l'odeur glorieuse
De la soupe au barley.

Que triomphe un jour même en Pétaudière,
Comme ailleurs, par toute la terre entière,
Notre soupe au barley !
Notre soupe au barley !

Un black-out rapide.
L'écriteau et les frises de décorations remontent dans les cintres. On range le landau-cantine derrière le panneau-cour, et tous les acteurs sortent de scène.

III • TOUS LES JOURS DE L'ANNÉE

En même temps que se rallume l'éclairage, une nouvelle pancarte descend des cintres, avec une inscription annonçant le titre de la troisième journée: **III • TOUS LES JOURS DE L'ANNÉE.** *Aussitôt après descendent à leur tour quelques perches supportant des séries d'enseignes, d'affiches, d'annonces accrochées les unes sous les autres en pendeloques, couvertes des inscriptions les plus hétéroclites à puiser dans le répertoire suivant:*

National Barley & Co.
Barley Soup Luncheonette.
King of the Barley Pizza.
Barley Souperia.
Barley Driving School.
Barley Mart.
King Size Barley Bowl.
Provincial Barley Bank.
Barleyrama.

Chez Ti-Jo Barley.
Au Bol de Barley Soup Binnerie.
Barley Corner Épicerie.
Barley Quick Service Teinturier-Nettoyeur.
Barley Maintenance Ménages.
Barley Hardware Marchand de Fer.
Plaza Barley Soup.
Barley Tourist Rooms.
Barley Soup Sex Shop.
Dominion Barley Tire.
Hi-Fi Barley.
Barley Fruit Shop.
Barley Landromat.
Barley Wholesale & Son.
Barley Dry Goods Reg, *etc!*

Ces enseignes de formes, de couleurs, de lettrages divers doivent accrocher la lumière et former au-dessus du plateau une sorte de voûte pittoresque, comme le fouillis publicitaire dominant les rues commerciales de Hong-Kong, par exemple.
À la toute fin, une enseigne isolée descend à l'écart des autres et vient coiffer le panneau-jardin de la modeste annonce suivante: **Soupe aux pois à toute heure.**

SCÈNE 1

Sitôt tout ce décor installé, Maria et la mère Beaugras arrivent par le fond, venant de directions opposées. Maria est chargée d'un énorme sac de provisions, tandis que l'autre transporte à grand-peine une multitude de petits paquets. Elles vont descendre vers l'avant-scène en jasant.

BEAUGRAS, *appelant Maria* — Hé!... Attends-moè, Mariâ.

MARIA — Quins! Vous v'là, vous aussi, la mére Beaugrâs?

BEAUGRAS — Cou' don', toè... As-tu réussi à trouver des pois?

MARIA, *montrant son sac* — Ouais. Je'nn ai une poche.

BEAUGRAS, *éblouie* — Une poche?

MARIA — Ouais. J'ai été chanceuse. Mais ça faisait ben l'cinquième magasin que j'rentrais, par 'zempe.

BEAUGRAS — Une poche! Tu parles d'une bossue, toè!

MARIA — Mais dites-moè pas que vous avez pas été capabe de-n-en trouver, vous?

BEAUGRAS — Ah! parle-moè-z-en pas! J'ai faite toute el'marché en r'montant pis en descendant. Toute c'que j'ai réussi à avoèr, c'est yen qu'par tits sacs d'une live.

MARIA, *sympathisant* — Ah, ben, pauvre vous! Vous irez pas péter loin avec ça!

BEAUGRAS — Je l'sais ben.

MARIA — En t'es cas, si vous en manquez, j'vous en pâsserai. Faut toujours ben s'aider un peu, dan'a vie.

BEAUGRAS — Marci ben, ma fille! Mais ça a-t-y du bon sens, dans l'monde, que ça vienne râre de même, les pois?

MARIA — M'as dire comme Baptisse: c'est rendu qu'ça va être aussi dur à trouver que d'la marde de pape!

BEAUGRAS — Pis y sont chers, avec ça! Du barley, pis du barley, c'est yen qu'ça qu'on voèt partout!

MARIA — Moè, j'comprends pas ça. Icite, dan'a Pétaudiére, y a ben pluss de monde qui est mangeux d'soupe aux pois que y en a qui sont mangeux d'barley.

BEAUGRAS — Beau dommage ! C'est ben entendu. Eux autes, y sont yen qu'une tite clique.

MARIA — Sont même pas 'a moètié d'nus autes. La Pétaudiére, c'a toujours été une île de mangeux d'soupe aux pois.

BEAUGRAS — Oui, mais tu comprends, Mariâ, m'as t'dire une chose, moè... Même si, nus autes, on est pluss de monde, les mangeux d'barley, eux autes, y sont ben verrâts.

MARIA — D'abord faut dire qu'y sont plus riches, ben plus riches que nus autes. Pis y l'ont toujours été. Ça aide, ça.

BEAUGRAS — Ouais... D'l'argent, y'nn ont. Y'nn ont en masse ! Mais c'pas toute. Y savent mieux s'y prende que nus autes. Sont plus chef-d'œuvreux qu'nus autes. Y s'grouillent pluss. Y sont moins 'es mitaines pas d'pouces. Y ont l'tour avec leûs commarces, leûs manufactures, leûs banques. C't entendu qu'avec d'l'argent, comme de raison...

MARIA — En t'es cas, sont yen qu'une tite clique, mais y ont pas d'misére à nous manger not' pain su'a tête, pareil comme si on était pas plus hauts qu'des potes à chier.

BEAUGRAS — J'sais ben. Pis pluss que ça va, pluss que les champs d'l'île, c'est rendu des champs d'barley.

MARIA — À part de ça, y ont beau jeu, avec toutes les autes îles alentour où c'que ça mange yen qu'du barley.

BEAUGRAS — Pis l'continent, d'l'aute bord, c'est pareil !

MARIA — C'est toute des mangeux d'soupe au barley, c'monde-là.

BEAUGRAS — Mon doux Seigneur! J'me d'mande ben où c'qu'on va s'ramâsser avec ça.

MARIA — Moè, j'ai pour mon dire, des foès, que si ça continue d'même, si on continue à s'laisser faire de même, là, ben, des pois, y'nn aura pus! D'la soupe aux pois, y s'en mangera pus à'a Pétaudiére. C'comme ça qu'ça va finir.

BEAUGRAS — Ben, laisse-moè t'dire une chose, ma tite fille. Si jamais ça arrivait, ça, ça s'rait ben d'valeur. En tou'es cas!... Pour el'temps qu'on a encôre queuqu'chose à mette dan'a chaudronne, allons faire chauffer 'a soupe.

Elles sortent chacune par un côté du panneau-jardin et disparaissent derrière.

SCÈNE 2

Mr. et Mrs. Master apparaissent aussitôt. Ils étaient derrière le panneau-cour et ils entrent ensemble par le même côté.

MRS. MASTER — Alors, darling, la soupe au barley était à votre goût?

MR. MASTER — Excellente, my dear! J'en ai repris deux fois.

MRS. MASTER — Je l'ai trouvée particulièrement crémeuse et bien chaude.

MR. MASTER — So nice and hot indeed! Vous sortez?

MRS. MASTER — Oui. Je vais prendre le thé. Vous viendrez?

MR. MASTER — Well... Je dois passer à la Bourse, ensuite à la banque... Tenez! j'irai vous prendre après le bureau.

MRS. MASTER — Vous prendrez aussi du thé?

MR. MASTER — Of course, my dear!

MRS. MASTER — Really, il n'y a rien comme une bonne tasse de thé, when it is nice and hot.

MR. MASTER — Nothing, my dear! Nothing... excepté un bon bol de soupe au barley.

MRS. MASTER — Of course, darling! Of course!... À bientôt!

MR. MASTER — Good bye, my dear!

Mrs. Master s'empresse de remonter vers le fond, par où elle disparaît.

SCÈNE 3

Mr. Master s'apprête à descendre vers la cour. Il est aussitôt abordé par Baptiste, qui vient d'entrer au premier plan-cour.

BAPTISTE — Aïe, boss! j'aurais quéqu'chose à vous dire.

MR. MASTER — Oh! Comment ça va avec le travail, Baptiste? Doing a fine job?

BAPTISTE — Pas pire, pas pire... Mais les gars d'l'union, à'a shop, faut qu'on vous d'mande quéqu'chose.

MR. MASTER, *se rembrunissant* — Well... Qu'est-ce que c'est?

BAPTISTE — On'nn a parlé au foreman, mais y dit qu'c'est vous qui avait donné des ordes.

MR. MASTER — So? What is the matter?

BAPTISTE — Ben, c'est par rapport à'a soupe.

MR. MASTER — La soupe?

BAPTISTE — Ouais. On voudrait d'la soupe aux pois su'a job.

MR. MASTER — De la soupe aux pois! You mean pea soup?

BAPTISTE — Ouais. On est tannés d'travailler, pis d'jamais pouvoèr avaler d'aute chose que d'la soupe au barley.

MR. MASTER — Mais... la soupe au barley est excellente! Very good for you, old man!

BAPTISTE — T'ed ben, mais, nus autes, on a été él'vés à'a soupe aux pois. C'est ça qu'on est habitués d'manger, pis c'est ça qu'on aime.

MR. MASTER — Well... pea soup at work, you know...

BAPTISTE — Là c'est rendu qu'dans toutes les manufactures, c'est pareil: à'a shop, dan'es bureaux, toute la patente, pas une gueuse de bolée d'soupe aux pois! Les comptoèrs-lunch, les cafétérias, les cantines roulantes, les machines automatiques, c'est toute arrangé qu'y a pas moyen de s'faire sarvir d'aute chose que vot' maudite soupe au barley. Ben, là, on est tannés!

MR. MASTER — Mais votre soupe aux pois, for goodness sake! personne ne vous empêche d'en manger chez vous!

BAPTISTE — Manqu'rait pus yen qu'ça! En t'es cas, ça fait rien, à c't'heure on en voudrait su'a job. Un homme qui travaille a l'droèt d'manger la soupe qu'y aime.

MR. MASTER — Listen, my good man! Au nombre d'employés que nous avons dans nos entreprises, pea soup, ce n'est pas hygiénique.

BAPTISTE — Comment ça, pas hygiénique?

MR. MASTER — Mais, mon pauvre Baptiste, le système d'aération ne pourrait jamais suffire! (*Se pinçant le nez.*) Rather stinky, you know!

BAPTISTE — Ah, ben! ça parle au batince! Si on a pus l'droèt d'péter en travaillant, à c't'heure!...

MR. MASTER — Au prix où coûte le matériel de nos jours, pas question de faire agrandir les bouches d'air! It is a matter of money, you see? Business is business! Économie et rendement, en affaires, c'est ça qui compte. Tout notre équipement de distribution est conçu pour le barley soup, et ça fonctionne très bien comme ça.

BAPTISTE — Ouais, ben, nus autes, les gars à l'union, on...

MR. MASTER, *sec et catégorique* — D'ailleurs ce n'est pas prévu dans votre convention. Je veux bien en toucher un mot à mes collègues de l'administration... Anyhow we'll see later! Now... excusez-moi, je suis pressé, j'ai des affaires à régler. As you know, my friend, la Bourse, ça n'attend pas. Good bye!

Il sort rapidement par le premier plan-cour.

BAPTISTE — Ah, l'batince! Sont ben toutes pareils! Y est encôre plus bête que l'foreman, sacrament!

Il traverse vers le panneau-jardin.

SCÈNE 4

La mère Beaugras avait mis le nez au coin du panneau pour écornifler. Elle s'empresse de sortir et vient à la rencontre de Baptiste.

BEAUGRAS — Pis, toujours? L'avez-vous eue, vot' soupe aux pois sus l'ouvrage?

BAPTISTE — Pas une sacrée miette, la mére Beaugrâs! (*Contrefaisant Mr. Master*) « You know... La biznuss, c'est 'a biznuss... » Pis envoye du barley, encôre du barley, toujours du barley! Eh! batince de vie!

BEAUGRAS, *appelant* — Mariâ!

Maria apparaît par l'autre côté du panneau et vient rejoindre les deux autres.

MARIA — Qu'est-c' qu'y a?

BEAUGRAS — Ben, y l'ont pas eue, leû soupe aux pois!

MARIA — Y m'semblait aussi. Ça m'aurait ben qu'trop surpris.

BAPTISTE — Imaginez-vous don'! C'est rendu ben vite qu'y nous laisseront même pus l'droèt d'péter su'a job.

BEAUGRAS — Ah, ben! a'est bonne, çalle-là!

BAPTISTE — Tout l'monde qui travaille, les hommes, les femmes, du darnier helpeur d'la shop jusqu'à l'assistant-chef de bureau, d'la tite waitress du stand jusqu'à'a sécrétaire parsonnelle du gérant, on est toutes dans l'barley jusqu'au cou.

BEAUGRAS — Pis ça s'ra pas long qu'vous allez'nn avoèr par-dessus 'a tête, j'ai ben peûr.

MARIA — Vous allez voèr, ça va finir comme dan'es autes îles. La soupe aux pois, l'monde saura même pus c'que c'est.

BEAUGRAS — Ben qu'trop vrai, ça! Vous vous arap-p'lez ceux qui étaient partis d'icite pour aller travailler par là?... C'est ben beau, les belles résolutions, mais ça prend pas d'temps qu'les habitudes, ça s'perd.

MARIA — Ouais. Y commencent par mette queuqu' grains d'barley dans leû soupe aux pois...

BEAUGRAS — Pis ça finit qu'un beau jour, y mangent d'la soupe au barley avec trois, quate pois d'dans, pis y s'en aparçoèvent même pas.

MARIA — Pis y s'imaginent encôre qu'y sont en train d'manger d'la vraie soupe aux pois, les pauves.

BAPTISTE — Pourtant icite, à'a Pétaudiére, c'est toujours ben pas 'es pois qui manquent.

BEAUGRAS — Ben, si t'étais v'nu faire el'marché avec moè, à matin, mon garçon, tu dirais pas ça!

MARIA — T'sais qu'c'est pas des farces, Baptisse? La Pétaudiére, ça a beau ête grand, pluss que ça va, pluss que les champs d'barley nous grignotent nos champs d'pois.

BAPTISTE — C'est ben qu'trop vrai, c'que tu dis là, toè, batince! On voèt ça dans l'journal: y s'pâsse pas une semaine qu'y a pas deux, trois champs d'pois qui r'virent en champs d'barley.

BEAUGRAS — Pis à c'train-là, vous savez, ça minote, ça prend pas d'temps!

MARIA — Quins! prenez 'es enfants dan'es écoles... Ben, avec c'qu'y leû donnent pour leûs collations, là, les cookies au barley et pis toute, ça va faire du grand-monde qui aura même pus l'goût d'manger des pois. Y aimeront pus ça. Y en voudront pus.

BEAUGRAS — Tu l'as dit, toè-même, Baptisse: ça va finir qu'on aura seulement pus l'droèt d'péter.

MARIA — On aura même pus l'cœur d'ête comme on est.

BEAUGRAS — Les mangeux d'soupe aux pois, on est encôre du monde en masse, hein? On est ben pluss qu'eux autes! Mais vous allez voèr qu'un jour, queuqu'un qui va vouloèr manger sa soupe aux pois ben tranquillement sus l'devant d'son perron, ben, y va s'trouver tellement tut seul, là, tellement à part du monde, y va s'sentir aussi gêné pis pardu qu'si y s'rait un pet d'évêque échappé dan 'un parloèr de couvent.

BAPTISTE — Faudrait pourtant faire quéqu'chose, batince de batince! Mais qu'est-c' c'est qu'on peut faire?

MARIA — Ouais. Qu'est-c' c'est qu'on peut faire?

BEAUGRAS, *aux spectateurs* — Qu'est-c' c'est qu'vous voulez qu'on fasse?

Ils se sont tournés tous trois vers le public et ils attaquent une sorte de complainte.
À peu près au même moment, Mr. et Mrs. Master apparaissent ensemble, arrivant du fond.

TRIO —

Nos pér' avaient un beau champ d'pois,
Comment ça s'fait qu'on n'en mang' pas?
    L'mond' vire à l'envers,
    Vir' la tête en bas.

Y'en cueillaient deux, y'en mangeaient trois,
On voudrait ben s'nourrir comm' ça.
    L'mond' vire à l'envers,
    Vir' la tête en bas.

Y fur' malad' au lit trois mois,
On a un' briqu' sus l'estomac.
L'mond' vire à l'envers,
Vir' la tête en bas.

C'est que l'barley, ça nous r'vient pas,
On a l'nez d'dans, pi'on aim' pas ça.
L'mond' vire à l'envers,
Vir' la tête en bas.

Quand c'est-y don' que l'jour viendra
Qu'y'en pouss'ra pus dans nos champs d'pois?
Que l'monde à l'envers
A l'endroèt' vir'ra?

La chanson au public finie, ils reprennent le dialogue normal entre eux.

MARIA — En t'es cas, en attendant, ça bouille dan'a chaudronne. Envoye! viens dîner, Baptisse.
BEAUGRAS — Bon, ben, c'est ça! Faut s'nourrir, si on veut toffer.
BAPTISTE — Mangeons plein not' vente tandiss qu'on peut encôre, pis pétons ben hardiment!

Ils disparaissent tous trois derrière le panneau-jardin, Baptiste et Maria par un côté, la mère Beaugras par l'autre.

SCÈNE 5

Les Master ont écouté la chanson et ont regardé sortir les trois autres avec un air de dignité pincée.

MRS. MASTER — Vous avez entendu, darling?
MR. MASTER, *méprisant* — Well, my dear... just an old routine.
MRS. MASTER — Oui, vous avez raison. Toujours les mêmes chansons!
MR. MASTER — Tout ça, ce sont des mots, voyez-vous? Words!... words!... words!...
MRS. MASTER — Alors aucune importance!
MR. MASTER — Positively none, my dear!

En se dirigeant vers leur maison, ils vont descendre vers le public et entonner la chanson suivante:

DUO —

Il faut faire
Nos affaires,
Laisser braire
Et nous taire.

MR. MASTER —
Les riches et les nantis
S'ront toujours les mieux assis,
Les grands mang'ront les petits.
MRS. MASTER —
Anyway we'll hav' som' tea!

MR. MASTER —
Avec des compt' pleins d'bank-notes,
À la Bourse on a bonn' cote :
Que d'autr' se r'trouv' dans la crotte !
MRS. MASTER —
We can drink so nice and hot !

MR. MASTER —
Quand on veut un bon moteur
Pour voler vers les hauteurs,
On laiss' les pois aux péteurs.
MRS. MASTER —
Barley is so much better !

DUO —
Laisser braire
Et nous taire,
Mais bien faire
Nos affaires !

Ils rentrent chez eux en disparaissant derrière le panneau-cour.

SCÈNE 6

Ladislava arrive aussitôt par le fond, vêtue d'une façon plutôt excentrique et chargée de nombreux bagages : une valise et des cartons à chapeaux.
Elle est suivie de Bouli-Boulou, qui est étrangement accoutré d'une manière de djellaba, avec une chéchia sur la tête et un maigre baluchon sur l'épaule.

Ils viennent de débarquer dans l'île et cherchent le palais gouvernemental.

LADISLAVA, *qui s'exclame, parlant avec un fort accent où roulent les r* — Jé savais! Voilà siège dé gouvernément! Intuition merveilleuse j'ai toujours eue.
BOULI-BOULOU, *avec son accent à lui* — Oh! Madame mon z'amie, Bouli-Boulou, y en a beaucoup content avoir arrivé!

Ladislava s'est arrêtée, perplexe, devant le panneau du fond.

LADISLAVA — Voyons!... La parole dé l'Ecritoure, elle dit: « Tournez la bobinette, et la chévillette cherra »...
BOULI-BOULOU — Hou, la, la,... Bouli-Boulou, lui pas savoir.
LADISLAVA — Alors jé frappe. (*Elle le fait.*)

Le Conseiller apparaît aussitôt au bout du panneau. Le Gouverneur le suivra tout de suite après.

CONSEILLER, *sortant* — Qu'est-ce que c'est?
LADISLAVA — Jé veux voir quelqu'un assis sur siège dé gouvernément.
CONSEILLER, *appelant* — Monsieur le Gouverneur, c'est pour vous!
BOULI-BOULOU — Bouli-Boulou avoir débarqué tantôt et y en a avoir besoin papiers.
GOUVERNEUR — C'est un certificat qu'il vous faut?
LADISLAVA — Oui. Jé veux installer domicile ici et jé viens démander certificat conforme.
GOUVERNEUR — Ah, bon! Un certificat de résidence? Alors c'est pour vous, Monsieur le Conseiller.

CONSEILLER, *tirant des papiers de sa poche* — En ce cas, très bien! (*À Ladislava.*) Je vous écoute.

BOULI-BOULOU, *s'avançant* — Bouli-Boulou, y en a vouloir...

CONSEILLER, *sèchement* — Chacun son tour. Madame d'abord. (*Aimable, à Ladislava.*) Votre nom?

LADISLAVA — Laploutovska jé souis patronymée. Ladislava Laploutovska.

CONSEILLER, *écrivant* — Bon...

BOULI-BOULOU, *s'avançant à nouveau* — Missié mon z'ami, Bouli-Boulou, lui...

GOUVERNEUR — Vous, attendez votre tour. (*Aimable.*) Madame...

CONSEILLER — Origine?

LADISLAVA — Origine presque aristocratique jé souis. Mon grand-père...

CONSEILLER — Pardon, je veux dire votre lieu d'origine.

LADISLAVA — Ah! terre natale qué j'ai quittée? Contrée merveilleuse, Monsieur lé Conseiller! Terre natale dé Vistoule! (*Dramatique.*) Contrée, quand jé pense, qué jé sens cœur qui mé gonfle et tout mon organizme préparer dé l'eau à pisser par mes yeux pour pleurer!

GOUVERNEUR — La Vistule, vous avez dit?

LADISLAVA — Oui. Vistoule!

CONSEILLER — Bon!... (*Il écrit.*)

BOULI-BOULOU, *s'avançant* — Bouli-Boulou, lui, y en a venir...

CONSEILLER — Vous, je vous ai déjà demandé d'attendre qu'on vous interroge.

GOUVERNEUR, *à Ladislava* — Alors vous voulez maintenant vous installer dans notre île?

LADISLAVA — Oui, jé veux. Vous savez, Pétaudière, île merveilleuse vraiment! Transplantée jé souis, pour prendre racine ici, dans terre nouvelle.

CONSEILLER — Et maintenant, Madame... (*Cherchant sur son papier.*) Madame Laploutovska, une question très importante...

GOUVERNEUR — Oui, question déterminante, en effet !

CONSEILLER — Question cruciale, dirais-je.

LADISLAVA — Mon Dieu ! Toute nerveuse vous mé rendez. Vraiment, vous savez, jé sens l'eau dé tout mon organizme descendre dans mes pieds pour suer.

CONSEILLER — Alors voici... Quelle soupe avez-vous l'intention de manger ?

LADISLAVA — Quelle soupe ?

GOUVERNEUR — Oui. Vous avez le choix.

CONSEILLER — Soupe aux pois ou soupe au barley ?

LADISLAVA — Soupe dé barley ou soupe dé pois ?

GOUVERNEUR — C'est ça.

BOULI-BOULOU, *essayant de s'avancer* — Bouli-Boulou, lui, y en a...

CONSEILLER — Ce n'est pas encore votre tour, vous !

GOUVERNEUR — Alors, Madame ?

LADISLAVA — J'ai lé choix, vous avez dit ? Donc jé peux prendre comme jé veux ?

GOUVERNEUR — Exactement.

LADISLAVA, *empressée* — Alors barley jé choisis, sans déranger l'eau dé tout mon organizme pour hésiter. Soupe dé barley jé veux manger !

CONSEILLER, *lui tendant un papier* — Bon, très bien ! Voici votre certificat.

LADISLAVA — Ah, merci ! Jé plonge dans mer dé réconnaissance et nager jé vais pour vous !

Elle commence à descendre vers l'avant-scène.

GOUVERNEUR — Les mangeurs de soupe au barley, c'est par là.

Il lui indique le côté des Master, et elle va sortir par le premier plan-cour.

LADISLAVA, *délirante d'enthousiasme* — Merveilleuse! Hospitalité merveilleuse! Soupe dé barley jé mangérai! Quand jé pense, terre si accueillante qué jé souis prête pour baiser!

CONSEILLER, *à Bouli-Boulou* — Bon! Maintenant c'est à vous.

BOULI-BOULOU — Hou, la, la! moi, y en a beaucoup...

GOUVERNEUR — Et tâchez de faire vite, hein?

BOULI-BOULOU — Oh, oui, Missié mon z'ami!

CONSEILLER — Alors, nom?

BOULI-BOULOU — Bouli-Boulou.

CONSEILLER — Lieu d'origine?

BOULI-BOULOU — Malou-Mali.

CONSEILLER — Et qu'est-ce que vous voulez manger ici? Soupe au barley ou soupe aux pois?

BOULI-BOULOU, *se grattant le crâne avec embarras* — Hou, la, la!... Moi, pas savoir, mon z'ami Missié.

GOUVERNEUR — C'est à vous de décider: vous avez la liberté de choix.

BOULI-BOULOU, *perplexe* — Moi pas connaître. Bouli-Boulou, y en a seulement avoir habitude manger soupe racines dé courcouma et bouillie farine dé parpajou.

GOUVERNEUR — Ah! ça, on n'a pas ça ici!

CONSEILLER — Il faut choisir: pois ou barley?

BOULI-BOULOU — Moi pas savoir, moi pas connaître, mais Bouli-Boulou, y en a vouloir choisir barley.

CONSEILLER — Bon! très bien!

GOUVERNEUR — C'est très bien!

CONSEILLER — Voilà votre certificat de résidence.

BOULI-BOULOU — Hou, la, la! Bouli-Boulou, y en a beaucoup content!

GOUVERNEUR — Alors les mangeurs de soupe au barley, c'est par là.

Il indique le côté cour, par où Bouli-Boulou s'en va sortir.

CONSEILLER, *se frottant les mains avec complaisance* — Eh bien, Monsieur le Gouverneur, ne trouvez-vous pas que la population de notre île semble vouloir s'accroître d'une manière tout à fait satisfaisante?

GOUVERNEUR — Tout à fait, mon cher Conseiller. Tout à fait!

La scène se conclut par une chanson.

CONSEILLER —
Vous voyez qu'elle augmente
De façon rassurante?

GOUVERNEUR —
Elle augmente en effet,
Et vraiment c'est parfait.

CONSEILLER —
Pour gouverner tranquilles
Accueillons en notre île
L'émigrant d'aujourd'hui
Et gagnons son appui!

GOUVERNEUR —
L'étranger qui arrive,
Il faut qu'on l'inscrive
Parmi les citoyens
Formant notre soutien!

DUO. —
L'important, c'est qu'ils votent
Dans le ton, dans la note,
C'est qu'ils votent pour nous,
Et la soupe, en s'en fout !

Ils rentrent tous deux derrière le panneau du fond.

SCÈNE 7

En même temps que Bouli-Boulou sortait, on a vu la mère Beaugras pointer le bout du nez de son côté du panneau-jardin. Elle observe le départ du Gouverneur et du Conseiller, puis se hâte de sortir pour aller appeler Maria.

BEAUGRAS — Hé ! Mariâ !...
MARIA — Quoi ?
BEAUGRAS — Viens icite un tit peu.

Maria sort de son côté et vient la rejoindre.

MARIA — Qu'est-c' qu'y a don' ?
BEAUGRAS — As-tu vu ?
MARIA — Quoi ?
BEAUGRAS — Ben, figure-toè, ma tite fille, qu'y en a encôre qui viennent d'arriver.
MARIA — Qui ça ?
BEAUGRAS — Ben, des nouveaux, là ! Du monde d'ailleurs qui vient s'installer pour rester par icite. Tu comprends, moè, j'tais dans l'châssis. A travers mes jalousies, j'voès toute, j'entends toute !

MARIA — Pis ?

BEAUGRAS — Pis tu sauras qu'y sont encôre partis du bord des mangeux d'barley.

MARIA — Toujours pareil ! Y ont pas sitôt mis l'pied dans l'île, envoye la soupe au barley !

BEAUGRAS — C'comme ça que l'monde augmente d'leû bord, pis nus autes, par le fait même, on s'trouve à diminuer.

MARIA — Eh, Seigneur ! Faudrait s'plainde au Gouvarneur. Y s'rait temps qu'y fasse queuqu'chose.

BEAUGRAS — Parler au Gouvarneur !... Ça donnera pas plus rien que si on allait péter dan'es fleurs.

MARIA — Ça, on sait ben... C'est comme l'Conseiller !...

BEAUGRAS — Ah, ben, lui !... Parle-moè-z-en pas ! « Un homme vous écoute, un homme vous écoute... »

MARIA — Ouais. Vous « écoutait » ! C'pas pareil, ça.

BEAUGRAS — Depuis qu'y a lâché sa job de rammancheux pour v'nir Conseiller, celui-là, ça fait belle lurette qu'y écoute pus parsonne.

MARIA — Ben, reste pus yen qu'à se r'trousser 'es manches, pis s'cracher dan'es mains pour faire queuqu'chose tut seuls !

BEAUGRAS — Beau dommage ! Pas besoin d'taponner, pis d'attende les appoints d'celui-ci pis d'celui-là. Quins ! Faudrait s'brâsser l'traîneau un peu, pis préparer une maniére de grande campagne en faveur de not' soupe aux pois.

MARIA — Cou' don', vous !... Ça aurait pas mal de bon sens, ça. Envoyez ! rentrez cheuz nous une minute. On commence tut suite !

Avec un air décidé, elles disparaissent derrière le panneau-jardin, par le côté de chez Maria.

SCÈNE 8

Mrs. Master apparaît aussitôt, sortant de derrière le panneau-cour. Elle porte une tunique à boutons, une capote sur la tête, le tout suggérant vaguement l'uniforme de l'Armée du Salut. Elle pousse devant elle le landau-cantine supportant la marmite et orné sur chaque côté d'une pancarte avec l'annonce: « Barley soup Free ! ».
Son mari l'accompagne, habillé en salutiste, lui aussi, et brandissant un instrument de musique, une trompette quelconque.

MRS. MASTER — You know, darling, aujourd'hui je me sens une âme d'apôtre.
MR. MASTER — Vous avez raison, my dear.
MRS. MASTER — Je pense que nous devons travailler pour le bien et l'éducation des masses populaires, really !
MR. MASTER — Il faut que tous les habitants de cette île apprennent à partager les délices de notre barley soup.
MRS. MASTER — It is God's will !
MR. MASTER — Dieu le veut !
MRS. MASTER — Allez-y ! Commencez, darling.

Mr. Master commence à jouer sur son instrument une courte ritournelle servant d'introduction au couplet publicitaire que ne tarde pas à attaquer sa femme.

MRS. MASTER, *chantant* —
Barley soup is good for you !
For you, barley soup is free !
Qu'on cherche autant qu'on veuille où
Voir meilleur à si bas prix !

SCÈNE 9

Mrs. Master finit à peine son couplet qu'on voit surgir le landau-cantine de soupe aux pois, sortant de chez Maria. Il est flanqué d'écriteaux annonçant: « Soupe aux Pois, gratis ! » *Maria et la mère Beaugras apparaissent, accompagnées de Baptiste, pour lancer leur campagne de propagande.*

MARIA, *faisant la réclame* — Soupe aux pois !
BAPTISTE — Soupe aux pois gratis !
BEAUGRAS — Mangez d'la bonne soupe aux pois !
MARIA — V'nez goûter à not' bonne soupe aux pois gratis !

Les Master sont d'abord restés interloqués.

MRS. MASTER, *réagissant avec indignation* — Oh !
MR. MASTER — It is sabotage, my dear !
MRS. MASTER — Shocking really !
MR. MASTER — You see ? Ils veulent ruiner nos œuvres de bienfaisance.
MRS. MASTER, *furieuse* — Well !... Wait a minute, darling. *(Faisant la réclame pour relancer les autres.)* Soupe au Barley ! Venez manger la bonne soupe au barley. C'est free !
MR. MASTER, *emboîtant le mouvement* — Free for all, le barley soup !
MRS. MASTER — Goûtez notre free soupe au barley !
MR. MASTER — Barley soup est très bon pour vous !
MRS. MASTER — La soupe au barley est un aliment très riche, très nourrissant !
MR. MASTER — Devenez plus forts, plus puissants en mangeant le barley soup !

MRS. MASTER — It is free ! Pensez à vos familles. It is good for children ! Si vous ne pouvez pas venir manger vous-mêmes, envoyez vos enfants !

Les autres ont essuyé l'assaut et, le premier moment de surprise passé, ils se regroupent pour exprimer leur indignation.

BAPTISTE — Cou' don' ! Y sont en train d'nous voler not' idée, eux autes !

MARIA — Ah, tu parles des pas gênés, toè !

BEAUGRAS — Non, mais faut-y avoèr du front tout l'tour d'la tête, un peu ?

BAPTISTE — Toute c'qu'y mériteraient, ça s'rait pas d'aute chose que de s'faire péter dans l'nez !

MARIA — On est toujours ben pas pour es'laisser baver en pleine face de même !

BEAUGRAS — Envoyez ! Tout l'monde ensembe ! (*Criant.*) Soupe aux pois ! Soupe aux pois gratis !

Ils entonnent eux aussi une espèce de refrain publicitaire, en venant narguer les Master.

TRIO, *chantant* —

Tout l'mond' qui reste icit', dans l'île,
Venez goûter not' soupe aux pois !
On sert gratis, et ça s'enfile
Avec un' grand' cuiller de bois !

Ils font un petit tour sur le plateau, en frappant sur leur chaudron de soupe avec des cuillers.

MRS. MASTER, *outrée* — Mais c'est de la provocation !

MR. MASTER — No matter, my dear ! N'oubliez pas que le ciel est avec nous.

MRS. MASTER — Oh! right you are, darling! Je suis sûre que Dieu... the Lord! s'il revenait sur terre, il mangerait le barley soup.

Se tournant vers le public, ils entonnent avec ferveur l'hymne déjà chanté au cours de la deuxième journée.

DUO, *chantant* —
Dieu, reçois nos prières,
Dieu, remplis nos soupières
Et nos champs de barley!... etc...

Les autres se ramassent pour une nouvelle attaque.

MARIA — Ah, ben! si y pensent qu'on va dét'ler d'même...
BEAUGRAS — On est toujours pas pour s'laisser damer l'pion par eux autes!
BAPTISTE — On lâche pas! Envoyez! un, deux, trois...

Ils entonnent à leur tour leur propre hymne national, le chant déjà entendu à la fin de la première journée, pendant que les Master ont continué le leur.
On doit avoir l'impression d'une escalade verbale et sonore, qui finira par dégénérer en véritable cacophonie.

TRIO, *chantant* —
Nous, on mang' la soup' de nos péres
Dans nos bols remplis à ras bord.
Par le trou qu'nous ont fait' nos méres,
Nous, on pèt' l'air qu'on a dans l'corps!..., etc.

SCÈNE 10

Au plus fort du tintamarre, pendant que les deux clans s'affrontent à grands coups de gueule, le Gouverneur et le Conseiller apparaissent sur l'estrade du fond.
Leur premier mouvement est de se boucher les oreilles avec une grimace horrifiée, puis ils s'empressent de s'entendre sur l'attitude à adopter, en se parlant rapidement à l'oreille. Ils descendent ensuite, souriant d'une gueule enfarinée, chacun battant la mesure de la musique chantée par le groupe vers lequel il se dirige. Le Gouverneur part vers les mangeurs de soupe aux pois, tandis que le Conseiller va trouver les Master.
En les voyant approcher, les chanteurs des deux clans laissent tomber leur duel musical!

BAPTISTE — Aïe! V'là l'Gouvarneur!
MR. MASTER — Oh! Voici Mister le Conseiller!
MARIA — Une bonne bolée d'soupe aux pois, Monsieur l'Gouvarneur?
MRS. MASTER — A nice bowl of barley soup, Mister le Conseiller insulaire?
GOUVERNEUR — Mais certainement, mes amis, certainement!
CONSEILLER — Avec plaisir, mes amis. (*En baissant la voix.*) Of course!
BEAUGRAS — Pis? Not' soupe, c'est d'la bonne soupe, hein?
GOUVERNEUR — Eh bien! il ne faut pas avoir peur de le reconnaître: la soupe aux pois, c'est notre soupe! Monsieur le Conseiller insulaire et moi-même, nous l'aimons beaucoup.

MR. MASTER — Franchement, between you and I, est-ce que notre soupe n'est pas la meilleure soupe, la plus riche, celle qu'on préfère partout?

CONSEILLER — Mais comment ne pas le reconnaître? D'ailleurs la soupe au barley est bien celle dont le goût est le plus répandu. Nous l'aimons beaucoup, monsieur le Gouverneur et moi. (*Baissant la voix.*) Really, you know!

Les politiciens ont dégusté leurs soupes, pendant que des deux côtés on s'est épanoui d'aise et de satisfaction. Remettant chacun leur bol, ils vont chanter un air qui formera une espèce de duo symétrique.

GOUVERNEUR, *parlé, remettant son bol* — Vraiment la soupe aux pois est notre bonne soupe.

CONSEILLER, *idem* — Franchement la soupe au barley est notre grande soupe.

Chanté:

GOUVERNEUR —
Ah! la bonne soupe!

CONSEILLER —
Ah! la grande soupe!

GOUVERNEUR —
En goûter, c'est la louanger!
Pour la goûter sans préjugé,
Que nos populations s'attroupent!

CONSEILLER —
Au pays comme à l'étranger,
C'est bien partout pour en manger
Que les populations se groupent!

GOUVERNEUR —
Ah ! la bonne soupe !

CONSEILLER —
Ah ! la grande soupe !

DUO. —
Ah ! la bonne soupe !
Ah ! la grande soupe !

À la reprise du refrain, les deux hommes ont pris congé de leurs hôtes, en distribuant des poignées de main, et ils viennent se retrouver au centre du plateau. Un bref moment de conciliabule où ils se glissent quelques mots à l'oreille...
Reprenant ensuite leur sourire officiel, ils changent de côté : le Conseiller vient chez les mangeurs de soupe aux pois, tandis que le Gouverneur passe chez les mangeurs de soupe au barley.

BAPTISTE — Envoyez ! Gênez-vous pas, Monsieur l'Conseiller ! Arrivez par icite.
MR. MASTER — Oh ! Welcome to you, Mister le Gouverneur !
MARIA — Vous r'fus'rez pas d'prende une bonne bolée d'soupe aux pois, hein ?
MRS. MASTER — Vous acceptez de goûter notre soupe au barley, I am sure !
CONSEILLER — Mais avec plaisir, mes amis ! Avec grand plaisir.
GOUVERNEUR — Oh ! certainement, mes amis ! Certainement. (*Baissant la voix.*) I do accept.
BEAUGRAS — Pis ? Vous trouvez pas que c't une bonne idée qu'on a eue, d'faire goûter not' soupe au monde de même ?

CONSEILLER — Mais comment ne pas le reconnaître? Notre soupe aux pois est excellente. Monsieur le Gouverneur et moi, nous sommes prêts à déployer les plus grands efforts pour en répandre le goût.

MR. MASTER — Franchement, between you and I, je suis sûr que vous souhaitez comme nous que les amateurs de soupe au barley soient toujours de plus en plus nombreux.

GOUVERNEUR — Eh bien! il ne faut pas avoir peur de le reconnaître, la popularité croissante de la soupe au barley peut nous apporter des avantages considérables. Monsieur le Conseiller insulaire et moi-même, nous sommes parfaitement d'accord là-dessus. (*Baissant la voix.*) And you can trust me, you know.

Satisfaction de part et d'autre comme précédemment. Une fois la dégustation terminée, le Conseiller et le Gouverneur remettent leurs bols et reprennent le petit duo, mais en intervertissant les parties.

CONSEILLER, *parlé, remettant son bol* — Vraiment la soupe aux pois est notre bonne soupe!

GOUVERNEUR, *idem* — Franchement la soupe au barley est notre grande soupe!

Chanté:

CONSEILLER —
Ah! la bonne soupe!

GOUVERNEUR —
Ah! la grande soupe!

CONSEILLER —
En goûter, c'est la louanger !
Pour la goûter sans préjugé,
Que nos populations s'attroupent !

GOUVERNEUR —
Au pays comme à l'étranger,
C'est bien partout pour en manger
Que les populations se groupent !

CONSEILLER —
Ah ! la bonne soupe !

GOUVERNEUR —
Ah ! la grande soupe !

DUO. —
Ah ! la bonne soupe !
Ah ! la grande soupe !

Sur les derniers vers, les deux politiciens distribuent les poignées de mains chacun de leur côté. Ils viennent ensuite se retrouver au centre, s'échangent quelques mots à l'oreille, puis remontent et sortent derrière le panneau du fond.

BEAUGRAS, *avec satisfaction* — Hein ? Vous avez entendu qu'est-c' qu'y ont dit ?

BAPTISTE, *un peu méfiant* — Ouais. Mais ça les a pas empêchés d'aller s'tremper leûs cuillers dans l'barley d'en face !

MRS. MASTER — Alors darling ? Que pensez-vous de ce qu'ils ont dit ?

MR. MASTER — Well... on ne peut pas leur demander de désavouer les mangeurs de pea soup, my dear !

Mais je suis sûr qu'au fond, ils nous approuvent. Ils sont avec nous !

SCÈNE 11

Pendant que les deux partis se trouvent ainsi en train de discuter, Ladislava et Bouli-Boulou arrivent sur le plateau par l'avant-scène.

BEAUGRAS, *les apercevant* — Quins ! quins !... Les v'là, les nouveaux ! Y viennent juste de débarquer par icite, ceux-là.
BAPTISTE — Envoyez ! Faut 'es attirer d'not' bord.

Comme Maria va pour s'avancer avec sa cantine roulante, elle se fait couper l'herbe sous le pied par les Master, qui se sont précipités vers les nouveaux venus.

MRS. MASTER — Free barley soup !
MR. MASTER — Goûtez la bonne barley soup. C'est free !
LADISLAVA — Ah ! Merveilleuse ! Absolument merveilleuse !
BOULI-BOULOU — Hou, la, la !
MARIA, *furieuse* — Ah, ben ! vous autes, là, ça va faire ! (*Gueulant.*) Soupe aux pois ! Bonne soupe aux pois ! Soupe aux pois gratis !
BAPTISTE — Bienv'nue à tout l'monde ! Envoyez ! V'nez par icite.
BEAUGRAS — Gênez-vous pas. Essayez-en une bolée !

Ils ont foncé vers les deux étrangers. Mais Mrs. Master a déjà rempli un bol, qu'elle tend avec un sourire engageant.

MRS. MASTER — Please, goûtez! Goûtez ceci, mes amis.

MR. MASTER — Try it, my dear friends.

MARIA — Aïe! allez don' au balette, vous autes, avec vot' barley!

BEAUGRAS, *à Ladislava et Bouli-Boulou* — Écoutez-les pas! V'nez par icite.

BAPTISTE — V'nez-vous-en de c'bord-cite.

BEAUGRAS — V'nez manger d'la soupe aux pois. Ça, c'est la vraie soupe qui s'mange par icite, à'a Pétaudière.

MARIA — Pis c'est la meilleure! Sentez-moè ça, si ça sent pas bon.

Ils ont bousculé la cantine des Master et, après avoir tiraillé les deux nouveaux venus, ils parviennent à les entraîner de leur côté. Maria leur promène sous le nez une pleine louchée de soupe aux pois.

BOULI-BOULOU — Hou, la, la!

LADISLAVA — Ah! Merveilleuse!... Odeur merveilleuse!... Odeur qui pénètre tout mon organizme, qui monte jusque dans ma cervelle pour rappéler souvénirs!

BOULI-BOULOU, *trempant son doigt dans la louche* — Oh! y a bon, mon z'ami!... Mon z'ami Missié, que y a bon!

LADISLAVA — Vous savez, pétite fille jé mé révois. Dans mon pays, ma grand-mère adorait soupe aux pois. Tout exprès dé Paris, elle avait engagé cuisinière merveilleuse. Et moi, j'aimais, jé raffolais soupe aux pois!

BAPTISTE — Ah, ben! c'pas icite que vous allez en manquer.

BEAUGRAS — Pis vous allez avoèr en belle d'en manger tant qu'vous voudrez.

MARIA — Quins! Goûtez-moè ça, pis vous m'en donn'rez des nouvelles. (*Elle leur tend deux bols pleins.*)

LADISLAVA — Ah! Beaucoup dé régret jé mé sens, mais... réfuser jé dois.

BOULI-BOULOU — Hou, la, la! Y a bon, mais Bouli-Boulou, y en a pas pouvoir accepter.

MARIA — Hein?

BAPTISTE — Pourquoè?

BEAUGRAS — Comment ça?

LADISLAVA — Vous savez, comme un oiseau jé mange. Si jé mets soupe aux pois dans pétite poche dé mon estomac, tout mon organizme intérieur, il sé gonfle pour faire du vent, et soupe au barley manger jamais jé né pourrai après.

BOULI-BOULOU — Bouli-Boulou trouver que, soupe aux pois, y a bon, mais lui vouloir manger soupe au barley.

BEAUGRAS — Ben, pourquoè faire?

LADISLAVA — Vous savez, jé pense qué jé peux trouver job merveilleuse dans conserves soupe dé barley.

BOULI-BOULOU, *désignant Mr. Master* — Missié mon z'ami là-bas, y en a avoir promis candy si Bouli-Boulou venir manger soupe barley.

MRS. MASTER, *criant son boniment* — Barley soup nice and hot!

MR. MASTER — Barley soup good and free!

LADISLAVA — Oh! Merveilleuse! Invitation merveilleuse! Aller jé dois.

BOULI-BOULOU — Hou, la, la! Bouli-Boulou, y en a vouloir candy!

Laissant les trois autres dépités, ils traversent dans le camp des Master.

MR. MASTER — Come here, my good friends!
MRS. MASTER — Venez, chers amis! Venez manger avec nous.
MR. MASTER — Venez manger la bonne barley soup, qui vous fera en bonne santé, forts et puissants.

Ils entraînent les deux immigrants avec eux. Ils sortent et disparaissent tous cinq derrière le panneau-cour.

SCÈNE 12

Les trois mangeurs de soupe aux pois ont vu leur échapper les deux étrangers, en chiquant leur dépit et leur mauvaise humeur. Ça bout dans la marmite, à présent le couvercle va sauter.
La scène qui suit prendra la forme d'une sorte de chœur parlé. Elle devrait être accompagnée d'un roulement sourd des percussions, avec des timbales battant un rythme de plus en plus provocant.

BAPTISTE —
Non, mais vous avez vu?
MARIA et BEAUGRAS —
Tou'es jours de même!
BAPTISTE —
Pis vous avez entendu?
MARIA et BEAUGRAS —
Tou'es jours pareil!

TRIO. —
Tou'es jours la même maudite affaire toujours pareille !

BAPTISTE —
Ben, là c't assez !

MARIA et BEAUGRAS —
Là on commence à'nn avoèr assez !

BAPTISTE —
Là on est tannés !

MARIA et BEAUGRAS —
Là on commence à'nn avoèr plein l'casque !

TRIO. —
Là on est tannés !
On est tannés !
On est toutes ben tannés !

Au début, les trois personnages se parlent et s'excitent entre eux. Mais ensuite ils vont se tourner vers la salle et s'adresser directement au public.

BAPTISTE —
Faut protester !

MARIA —
Faut contester !

BEAUGRAS —
Faut militer !

TRIO. —
Faut alarter tout l'monde, pour que tout l'monde s'décide à s'grouiller !

BAPTISTE —
Envoyez ! grouillez-vous, qu'on descende dan'es rues !

MARIA —
Envoyez ! grouillez-vous, qu'on rassembe tout c'qu'on a d'forces !

BEAUGRAS —

Envoyez ! qu'on soye toutes capabes de faire entende c'qu'on a d'voèx !

TRIO. —

Pis ça va ête el'cri d'la colère qui pète l'feu !
Prout ! prout ! prout !

BAPTISTE —

Pis toute va changer !

TRIO. —

Prout !

MARIA —

Ou ben toute va sauter !

TRIO. —

Prout !

BEAUGRAS —

Pis toute va péter !

TRIO. —

Prou-ou-out !
Toute va changer !
Toute va sauter !
Toute va péter !
Prout ! prout ! prout !
Prou-out !... Prou-out !... Prou-out !...

Un grand coup de timbale.
Les lumières s'éteignent brusquement : black-out.

ENTRACTE

IV ● UN BEAU JOUR...

Pendant le black-out, on a remonté dans les cintres l'écriteau indiquant le titre de la troisième journée.
Le décor, avec le fouillis des enseignes multicolores, demeure le même.
Quand l'éclairage se rallume, une nouvelle pancarte descend remplacer la précédente avec l'inscription: **IV ● UN BEAU JOUR...**
Le plateau reste vide un moment.

SCÈNE 1

On entend brusquement une foule en train de se livrer à une manifestation.
Baptiste entre en scène par le premier plan-jardin, accompagné de Maria et de la mère Beaugras. Ils

sont suivis de quatre autres personnages portant masques et manteaux (les interprètes de Mr. et Mrs. Master, de Ladislava et Bouli-Boulou.)
Tout le monde brandit des piquets avec des pancartes revendicatrices où les inscriptions sont différentes au recto et au verso:

«La Soupe aux Pois partout!
Les Mangeux d'Barley: dans leur trou!
Soupe aux Pois au Travail!
Assez du Barley!
Des Lois pour la Soupe aux Pois!
La Majorité veut sa place!
Des Pois pour tout l'monde!
À bas les privilèges du Barley!
Pétaudière = Soupe aux Pois!
Y a trop d'champs d'Barley!
Les Immigrants: dans la Soupe aux Pois!
La soupe aux Pois ou ben dehors!
La Majorité veut ses droits!
À bas la domination du Barley!»

La foule fait le tour du plateau en scandant ses slogans. Elle va manifester devant le panneau-cour, siège du clan mangeur de barley, ensuite au fond, devant le panneau gouvernemental.

TOUS, *bien rythmé* —
On veut des pois partout!
On veut des pois partout!
On veut des pois partout!
BEAUGRAS — La majorité veut avoèr sa place!
BAPTISTE — On veut la soupe aux pois au travail!
MARIA — Not' vraie soupe, c'est 'a soupe aux pois!
TOUS, *bien rythmé* —
On veut des pois partout!
On veut des pois partout!
On veut des pois partout!

BAPTISTE — On'nn a assez du barley !
MARIA — À bas, la domination du barley !
BEAUGRAS — Les mangeux d'barley, dans leû trou !
TOUS, *bien rythmé* —

On veut des pois partout !
On veut des pois partout !
On veut des pois partout !

MARIA — La soupe aux pois pour les immigrants !
BEAUGRAS — La soupe aux pois, ou ben déhors !
BAPTISTE — À bas, les privilèges du barley !
TOUS, *bien rythmé* —

On veut des pois partout !
On veut des pois partout !
On veut des pois partout !

BAPTISTE — La majorité veut ses droèts !
MARIA et BEAUGRAS — Des loès pour la soupe aux pois !
TRIO — Des règlements pour sauver nos champs d'pois !
TOUS, *bien rythmé* —

On veut des pois partout !
On veut des pois partout !
On veut des pois partout !

Après avoir créé beaucoup de mouvement et d'agitation, avoir fait du vacarme en tapant sur l'estrade avec les piquets de leurs pancartes, ils sont tous sortis vers le fond, en contournant le panneau gouvernemental.

SCÈNE 2

En même temps que la foule des manifestants est sortie, le panneau du fond pivote lentement sur lui-même, nous révélant ainsi l'intérieur du palais gouvernemental. Le Gouverneur et le Conseiller se tiennent plaqués contre le mur, prêtant l'oreille aux clameurs de la foule qui vont décroissant, mais qu'on continuera à entendre en fond sonore pendant presque toute la scène.

CONSEILLER — Alors, Monsieur le Gouverneur?

GOUVERNEUR — Alors, mon cher Conseiller?

CONSEILLER — Il semble bien y avoir un peu de désordre, un certain vent de mécontentement qui flotte dans l'air.

GOUVERNEUR — Eh oui! j'en ai peur. J'en ai bien peur. Ah! la situation est embarrassante. C'est vraiment très embêtant, vous comprenez...

CONSEILLER — À mon avis pourtant, un gouvernement fort comme le vôtre n'a pas à se laisser impressionner par quelques voix discordantes qui crient à tort et à travers.

GOUVERNEUR — Je sais, je sais. Mais, vous comprenez... les mangeurs de soupe aux pois constituent quand même la grosse majorité de notre population. S'ils semblaient se fâcher pour de bon, nous devrions peut-être...

CONSEILLER — N'oubliez pas que l'important, c'est surtout de ne pas mécontenter les mangeurs de soupe au barley. Pour l'instant, ils sont encore moins nombreux, d'accord! Mais ils sont plus riches. Leur argent contrôle tout. Ai-je besoin de vous rappeler combien leur appui a toujours été très utile au gouvernement?

GOUVERNEUR — Oh, je sais bien! je sais, je sais... Absolument nécessaire, essentiel même!

CONSEILLER — Alors il faut bien continuer à les ménager.

GOUVERNEUR — Ah! la situation est délicate. C'est embêtant, c'est très embêtant! Vous êtes mon conseiller, vous, alors conseillez-moi. Que faire?

CONSEILLER — Que faire? Eh bien! Monsieur le Gouverneur, gouverner! *(Il chante avec un air machiavélique.)*

Et gouverner,
C'est l'art de faire avaler des histoires.
C'est fafiner,
Pour obtenir avec des faire accroire.
C'est louvoyer
Entre les «oui... peut-être...» et les promesses.
C'est chatouiller
La queue du diable avec l'argent d'la messe.
C'est s'entourer
De bons vauriens triés dans la vermine,
Partout fourrer
Le tripotage au milieu des combines.
Savoir tremper
Dans les sal'tés, la bou', les p'tit' manœuvres!
Pouvoir ramper
Pour s'enfiler dans des sentiers d'couleuvres!
Jamais r'fuser!
Vendre, empocher, offrir son patronage,
Toujours ruser!
C'est gouverner, c'est l'art du patinage!

GOUVERNEUR, *ébloui* — Oui, vous avez raison. Comme vous avez raison! Conseillez-moi, Monsieur le Conseiller. Nous allons gouverner.

Pendant cette dernière réplique, les clameurs de la foule augmentent. Le Gouverneur accompagné du

Conseiller part d'un pas décidé. Ils suivent le mouvement du panneau, qui commence à pivoter.

SCÈNE 3

En même temps que le panneau continue à tourner, faisant disparaître le Gouverneur et le Conseiller, le groupe manifestant en faveur de la soupe aux pois revient par le fond. Ils ne sont plus que trois, toujours avec leurs pancartes, mais la voix des autres, demeurés en coulisse, se joint à leurs cris de revendication.

TOUS —
On veut des pois partout !
On veut des pois partout !
On veut des pois partout !
BAPTISTE — Not' soupe, c'est 'a soupe aux pois !
MARIA — La majorité veut avoèr sa place !
BEAUGRAS — La majorité veut avoèr ses droèts !
TOUS —
On veut des pois partout !
On veut des pois partout !
On veut des pois partout !
BAPTISTE — El'barley, c't assez ! On'nn a plein l'trou !
MARIA — On veut des loès pour protéger la soupe aux pois !
BEAUGRAS — On veut des règlements pour sauver nos champs d'pois !
TOUS —
On veut des pois partout !
On veut des pois partout !
On veut des pois partout !

Les trois manifestants se démènent et tapent sur l'estrade avec les piquets de leurs pancartes. Attirés par le tapage, les Master sont sortis de derrière le panneau-cour, accompagnés par Ladislava et Bouli-Boulou. Ils observent la démonstration de loin, avec un air d'appréhension.

SCÈNE 4

Finalement le Gouverneur et le Conseiller sortent de derrière le panneau du fond et se risquent sur l'estrade, en multipliant les gestes pour apaiser la foule.

GOUVERNEUR — Chers amis...
TRIO — Des pois partout !
CONSEILLER — Chers concitoyens...
TRIO — Des pois partout !
GOUVERNEUR — Mes bons amis...
TRIO —
Des pois partout !
Des pois partout !
Des pois partout !
CONSEILLER — Un moment d'attention, s'il vous plaît...
TRIO — On veut des pois partout !
GOUVERNEUR — Monsieur le Conseiller va vous faire part d'une communication importante.
CONSEILLER — Nous désirons nous adresser à l'entière population de l'île, et je vous invite à vous approcher pour nous accorder toute votre attention.

BAPTISTE — Quins ! dites-moè pas !...
MRS. MASTER — Good gracious !...
BEAUGRAS — Allons, Seigneur !...
MR. MASTER — What the hell !...
LADISLAVA — Ah ! merveilleuse !...
MARIA — Ah, ben ! quand on pense !...
BOULI-BOULOU — Hou, la, la !

Toutes ces exclamations s'entrecroisent confusément pendant que les personnages viennent se grouper autour de la tribune: les mangeurs de soupe aux pois plutôt en jardin, les mangeurs de soupe au barley en cour, les deux immigrants au centre, entre les deux clans.

GOUVERNEUR — Monsieur le Conseiller insulaire et moi-même, confirmés par l'assurance de rencontrer les aspirations exprimées par l'ensemble de la population, nous avons décidé de préparer un règlement en vingt-deux articles sur une question d'importance primordiale: le statut de la soupe dans notre île !

Des réactions enthousiastes explosent confusément de part et d'autre.

BAPTISTE — Hourra pour les pois !
MARIA — Vive la soupe aux pois !
BEAUGRAS — La soupe aux pois partout !
MRS. MASTER — Barley for everybody !
MR. MASTER — Everybody for barley soup !
LADISLAVA — Ah ! merveilleuse !... Merveilleuse !
BOULI-BOULOU — Hou, la, la ! y a bon !
GOUVERNEUR — J'invite donc monsieur le Conseiller insulaire à nous présenter sans tarder ce document

destiné à marquer une date historique dans les annales de la Pétaudière.

TOUS, *applaudissant* — Hourra ! hourra ! hourra ! Hurray ! hurray ! hurray !

Le Conseiller salue vaniteusement en déployant ses papiers.

CONSEILLER — Monsieur le Gouverneur et moi, nous sommes donc heureux, chers concitoyens, de vous annoncer qu'en vertu des vingt-deux articles inclus dans ce règlement d'une portée considérable, la soupe aux pois est proclamée soupe officielle des habitants de cette île de la Pétaudière.

BAPTISTE, MARIA et BEAUGRAS — Hourra !

MR. et MRS. MASTER, *vexés* — Oh !

CONSEILLER — En conséquence de quoi est reconnu à toute la population le droit naturel de péter ouvertement en tous lieux publics et privés, sur le territoire de la dite île.

BAPTISTE, MARIA et BEAUGRAS —
Hourra !
Prout ! prout ! prout !
Prout ! prout ! prout !
Prou-out !... Prou-out !... Prou-out !
Hourra !

MR. et MRS. MASTER, *outrés* — Oh !... shocking !

Agitation de part et d'autre. Enthousiasme chez les mangeurs de soupe aux pois, dépit dans le clan adverse. Ladislava et Bouli-Boulou demeurent perplexes entre les deux camps.

CONSEILLER — Mais par égard aux privilèges et droits sacro-saints acquis par la minorité des habitants de la Pétaudière qui n'a jamais pu ou voulu goûter à la soupe aux pois, n'a jamais consenti à y tremper cuiller, ni louche, ni braoule, n'ayant jamais jugé opportun d'en adopter l'habitude, l'usage de la soupe au barley est reconnu officiellement en tout le territoire de l'île.

MR. et MRS. MASTER, *triomphants* — Ah !

BAPTISTE, MARIA et BEAUGRAS, *dépités* — Hon !...

CONSEILLER — En conséquence de quoi, dès qu'il se trouvera réuni un corps social constitué d'une, deux, trois personnes, ou plus, ayant par tradition familiale, par goût personnel, ou par un quelconque intérêt, l'habitude ou même le simple désir de manger de la soupe au barley, le présent règlement reconnaît à ces personnes le droit sacrosaint de satisfaire leur préférence, en autorisant la préparation, la vente et le libre service de la dite soupe au barley partout où ces personnes en feront la demande.

MR. et MRS. MASTER, *triomphants* — Ah !... Very good !

BAPTISTE, MARIA et BEAUGRAS, *déconfits* — Hon !... Ben, cou' don' !...

CONSEILLER — Ainsi, dès qu'une collectivité d'une, deux, trois personnes, ou plus, en exprimera la demande, la soupe au barley sera-t-elle donc préparée, servie et offerte librement dans tous les bâtiments administratifs de l'île, aux cafétérias des cours de justice insulaires, des bureaux, fabriques, usines et autres lieux de travail, ainsi que dans les écoles et universités.

MR. et MRS. MASTER, *toujours triomphants* — Ah !...

BAPTISTE, MARIA et BEAUGRAS — Ah, ben !...

CONSEILLER — Les personnes peu entraînées à supporter les odeurs pétatives engendrées par la concoction et explosion des gaz intimes consécutifs à l'ingestion de la soupe aux pois, qu'il s'agisse de vents tonitruants, intrépides et clair-sonnants, vulgairement dénommés pets, ou de soupirs insidieux se coulant en forme de vesses perfides, ces personnes donc, en vertu du présent règlement, auront droit de faire interdire en leur présence et bannir de leur environnement tout usage de soupe aux pois à l'avantage exclusif de la soupe au barley, et ce afin d'éviter les risques d'échappement et diffusion des dits gaz pétatifs.

MR. et MRS. MASTER, *approuvant* — Oh ! good ! good ! Very good !

MARIA et BEAUGRAS, *désolées* — Ah !...

BAPTISTE — Bon ! l'droèt d'péter à c't'heure !

CONSEILLER — Aux parents adonnés à l'usage de la soupe au barley est reconnu le droit sacro-saint d'envoyer leurs enfants dans des écoles de leur choix, où la cantine administrative leur servira exclusivement de la soupe au barley.

MR. et MRS. MASTER — Ah !

BAPTISTE, MARIA et BEAUGRAS — Hon !...

MARIA — Cou' don' !...

CONSEILLER — De même façon, aux parents adonnés à l'usage de la soupe aux pois, mais néanmoins désireux d'entraîner dès le jeune âge leurs enfants au goût et à l'usage de la soupe au barley, est reconnu le droit quasi sacro-saint d'envoyer leurs enfants dans ces mêmes écoles de leur choix où leur sera servi de la soupe au barley.

MR. et MRS MASTER, *perplexes* — Hum ! hum ! Well...

BAPTISTE, MARIA et BEAUGRAS — Ah !

BEAUGRAS — Ah, ben ! c'est l'boute !

MARIA — Nos enfants, cou' don' !...

CONSEILLER — Quant aux nouveaux résidents, aux personnes étrangères débarquant en cette île, dans l'honnête et louable intention d'y établir leur domicile, s'ils sont déjà habitués à l'usage de la soupe au barley, le présent règlement leur reconnaît le droit sacro-saint de continuer ici la pratique de cet usage.

À l'énoncé du début de l'article, Ladislava et Bouli-Boulou ont commencé à s'agiter et à manifester un intérêt particulier.

MRS. MASTER, *s'épanouissant* — Ah ! naturally !
MR. MASTER — Of course !
BAPTISTE, MARIA et BEAUGRAS, *avec dépit* — Oh !
BEAUGRAS — C't entendu, eux autes !...
BAPTISTE — J'me d'mande ben pourquoè, moè !
CONSEILLER — Si ces nouveaux résidents sont habitués à l'usage de la soupe aux pois, mais néanmoins manifestent à l'égard de la soupe au barley une certaine préférence assortie d'une quelconque aptitude à en manger, le présent règlement leur reconnaît le droit, qui deviendra par la suite irrévocablement sacro-saint, à s'intégrer aux collectivités d'une, deux, trois personnes, ou plus, faisant usage de la dite soupe au barley, avec jouissance entière et complète de tous les bénéfices, privilèges et avantages attachés à ces collectivités.
MRS. MASTER — Well...
MR. MASTER — Not bad !... Not bad !
BAPTISTE, MARIA et BEAUGRAS, *protestant* — Oh !...
BAPTISTE — Ah, ben ! là, par 'zempe !...
BEAUGRAS — Mais y rest'ra pus parsonne avec nus autes !
CONSEILLER — Quant aux nouveaux résidents qui seraient habitués à un quelconque potage autre que la soupe aux pois ou la soupe au barley, ils ne

jouissent malheureusement d'aucun droit sacro-saint.

Violente réaction de déception de Ladislava et Bouli-Boulou, qui avaient déjà commencé à se trémousser.

LADISLAVA — Oh!
BOULI-BOULOU — Hou, la, la!
BAPTISTE, *avec satisfaction* — Ben, cou' don'!
MARIA — Une chance!
BEAUGRAS — Y manqu'rait pus yen qu'ça!
CONSEILLER — Néanmoins le présent règlement leur reconnaît, s'ils manifestent à l'égard de la soupe au barley la moindre appétence, assortie de la plus minime aptitude à en manger, — appétence et aptitude dont l'évaluation sera par voie d'examen entièrement laissée à la discrétion et au bon jugement du Conseiller insulaire, — leur reconnaît donc le droit d'adopter l'usage de la soupe au barley, d'envoyer leurs enfants dans des écoles de leur choix où leur sera servi exclusivement de la soupe au barley et de s'intégrer ainsi aux collectivités faisant usage de soupe au barley, avec jouissance entière et complète de tous les bénéfices, privilèges et avantages attachés à ces collectivités. Et ce droit, bien que n'étant pas à l'origine sacro-saint, deviendra par la suite irrévocablement sacro-saint pour eux et tous leurs descendants, à perpétuité.

Ladislava et Bouli-Boulou ont à grand-peine contenu l'enthousiasme de leurs réactions. Ils éclatent.

LADISLAVA — Ah! merveilleuse!

BOULI-BOULOU — Hou, la, la!

LADISLAVA — Merveilleuse vraiment! Règlementation merveilleuse!

BOULI-BOULOU — Y a bon! Hou, la, la! qué y a bon!

MRS. MASTER — Good! Very sensible!

MR. MASTER — Quite sensible indeed!

MARIA, *furieuse* — Là c't un peu fort!

BEAUGRAS — Mais ça a pas d'bon sens, ça!

BAPTISTE — Ça a pas une batince de miette de batince de bon sens!

CONSEILLER — Au terme de quoi nous nous réjouissons de réitérer la proclamation de la soupe aux pois comme expression la plus sacrée de notre patrimoine culturel et soupe officielle des habitants de la Pétaudière.

Là-dessus le charivari commence. Violente réaction des Master.

MR. et MRS. MASTER — Oh! no!

MRS. MASTER — Really!...

MR. MASTER — That's too much!

MRS. MASTER — That's a kiss of death to us!

CONSEILLER, *voulant terminer* — Promulgué apertement en cette île de la Pétaudière, le...

Il est interrompu par l'explosion du mécontentement général.

BAPTISTE — On veut pas de c'règlement-là!

MR. MASTER — Pas d'officiel privilège par le pea soup!

BAPTISTE, MARIA et BEAUGRAS — On en veut pas! On en veut pas, on pète dessus!

MR. et MRS. MASTER — We don't want official soup!

LADISLAVA et BOULI-BOULOU — À bas discrimination ! À bas discrimination !

MARIA — On veut d'la soupe aux pois, pis yen qu'la soupe aux pois !

MRS. MASTER — C'est abus de pouvoir ! It's a shame !

BAPTISTE, MARIA et BEAUGRAS — On veut des pois partout !

MR. et MRS. MASTER — It's not constitutional !

LADISLAVA et BOULI-BOULOU — À bas discrimination !

BAPTISTE, MARIA et BEAUGRAS —

On veut des pois partout !
On veut des pois partout !
On veut des pois partout !

MR. et MRS. MASTER —

Let us fight
For barley rights !

LADISLAVA — À bas discrimination envers résidents nouveaux !

BOULI-BOULOU — Tout le monde, y en a droit avoir mêmes droits !

MRS. MASTER — We want equality !

MR. MASTER — We want superiority !

BAPTISTE — On veut nos droèts !

BAPTISTE, MARIA et BEAUGRAS — Des pois partout !

MR. MRS. MASTER — No official pea soup !

MARIA et BEAUGRAS — À bas l'règlement !

MR. et MRS. MASTER — Barley rights ! Barley rights !

BAPTISTE, MARIA et BEAUGRAS — Des pois partout ! Des pois partout !

MR. et MRS. MASTER — Shoo ! shoo !...

LADISLAVA et BOULI-BOULOU — Shoo ! shoo !...

BAPTISTE, MARIA et BEAUGRAS — À bas ! à bas !

TOUS — Shoo !... Shoo !... Shoo !...

On doit créer une impression de vive agitation, de tumulte extrême. Ces cris de protestation fusent un peu tous en même temps.
Le Gouverneur et le Conseiller se trouvent coincés sur l'estrade, très embarrassés, très mal à l'aise, se consultant désespérément du regard. Ils finissent par retraiter et disparaissent derrière le panneau du fond.
Au plus fort de la manifestation, l'éclairage s'éteint brusquement sur la confusion générale. Black-out, pendant lequel on remonte l'écriteau annonçant le titre de la journée.

V • LES JOURS SUIVANTS...

Quand la lumière se rallume, on descend la pancarte avec l'inscription: **V • LES JOURS SUIVANTS...**

SCÈNE 1

Pendant le black-out, tous les comédiens, moins le Gouverneur et le Conseiller, ont pris place sur le plateau.
Baptiste, Maria et la mère Beaugras se tiennent devant les quatre autres, qui, avec les masques et les manteaux, constituent la foule anonyme des mangeurs de pois en colère.

BAPTISTE —
Maudit Gouvarnement !

MARIA et BEAUGRAS —
Maudit Gouvarnement
Avec son règlement!
TOUS —
Ton maudit règlement
Nous met en sacrament,
Maudit Gouvarnement!
BAPTISTE —
P'tit à p'tit l'barley s'est mis dans nos champs d'pois!
TOUS —
El'barley qui est comme d'la mauvaise harbe dan'es cultures d'la Pétaudiére!
MARIA —
Pire qu'la moutarde roulante,
qui roule et pis qui roule,
et pis qui écrase tout' c'qui pousse de bon!
BEAUGRAS —
Pire que l'chiendent qui r'ssort,
pis qui r'vient trois foès plus fort
chaque foès qu'on essaye de l'arracher!
TRIO —
P'tit à p'tit les semeux d'barley,
les planteux d'barley,
les mangeux d'barley
s'installent dans nos beaux champs d'pois!
BAPTISTE —
Pis y fait rien pour les arrêter,
y fait rien pour les empêcher,
l'maudit Gouvarnement!
MARIA et BEAUGRAS —
Maudit Gouvarnement
Avec son règlement!
TOUS —
Ton maudit règlement
Nous met en sacrament,
Maudit Gouvarnement!

BAPTISTE —
P'tit à p'tit on saura pus c'que c'est
que l'goût d'not' soupe aux pois !

TOUS —
La vraie soupe, qui était faite avec les vrais pois des vraies cultures d'la Pétaudiére !

MARIA —
P'tit à p'tit ça va ête du barley,
c'qui va bouillir dans nos chaudronnes,
ça va ête du barley, pis on s'en aparcevra même pas !

BEAUGRAS —
P'tit à p'tit ça va ête les étrangers
qui vont s'sarvir de nos chaudronnes,
pis qui vont prende nos grandes cuillers à pot' pour brâsser leû bouillie d'barley !

TRIO —
Pis nus autes qu'on est v'nus au monde dan'es pois,
nus autes qu'on mange des pois,
qu'on a jamais pété d'aute chose que du vent d'pois,
on va se r'trouver avec du barley sus l'estomac !

BAPTISTE —
Pis y fait rien pour arrêter ça,
y fait rien pour empêcher ça,
l'maudit Gouvarnement !

MARIA et BEAUGRAS —
Maudit Gouvarnement
Avec son règlement !

TOUS —
Ton maudit règlement
Nous met en sacrament,
Maudit Gouvarnement !

BAPTISTE —
P'tit à p'tit y a un goût amer
qui s'est mis dans nos bolées d'soupe aux pois!
TOUS —
Un goût amer comme el'fiel de la colère
qui bouillonne dans l'cœur des vrais habitants d'la Pétaudiére!
MARIA —
Pis v'là qu'la moutarde, la moutarde forte,
qui chauffe et pis qui brûle,
s'est mis à nous monter des vapeurs dans l'nez!
BEAUGRAS —
Pis qu'les dents nous ont viré pointues,
pis qu'y nous agacent de plus en plus fort,
à force d'ête serrées pis d'pas arrêter d'grincher!
TRIO —
P'tit à p'tit v'là qu'c'est l'envie d'morde qui nous prend,
v'là qu'c'est pus l'envie d'l'orde qui nous prend,
pour défende l'av'nir de nos champs d'pois!
BAPTISTE —
Pis c'pas lui qui va nous arrêter,
c'pas lui qui va nous empêcher,
l'maudit Gouvarnement!
MARIA et BEAUGRAS —
Maudit Gouvarnement
Avec son règlement!
TOUS —
Ton maudit règlement
Nous met en sacrament,
Maudit Gouvarnement!

Toutes ces imprécations auront pu être accompagnées d'évolutions véhémentes: comme une espèce de chœur d'Érinyes lançant leurs malédictions.

Vers la fin de la scène, on a vu le Gouverneur et le Conseiller apparaître peureusement au côté-cour du panneau gouvernemental.
Les mangeurs de soupe aux pois sortent par le fond-jardin, en lançant leurs dernières huées.
Le Gouverneur et le Conseiller traversent l'estrade de cour en jardin, pour observer la foule qui s'éloigne, puis rentrent ensuite derrière le panneau par le côté-jardin.

SCÈNE 2

En même temps que les rumeurs et les cris ont paru diminuer, d'autres semblent commencer à se rapprocher, et une seconde bande de manifestants ne tarde pas à revenir par le fond-cour, pour descendre ensuite vers le centre du plateau. Encore une fois, sept comédiens se retrouvent en scène. Mais maintenant ce sont Mr. et Mrs. Master qui dirigent le groupe. Les cinq autres, avec les manteaux et les masques, constituent la foule anonyme des mangeurs de barley mécontents.
Le Gouverneur et le Conseiller pointent peureusement le nez au côté-jardin du panneau gouvernemental. Ils vont écouter les autres, très mal à l'aise, en échangeant des commentaires à voix basse.
Les manifestants chantent une sorte de lamento, presque sur un rythme de marche funèbre.

TOUS, chantant —

Shame on you, gouvernement ingrat !
Ta caisse a grossi par nos largesses,
Nous t'avons fait puissant, rouge et gras,
Tu as crû à même nos richesses.
Mais aujourd'hui sans moralité,
Tu trahis nos libéralités,
Ton bras sur nos sacrés privilèges
Prétend frapper un coup sacrilège.
And we feel so sad
That you ar' so bad !
And you ar' so bad
That we feel so sad !

La suite sera psalmodiée à la manière d'une douloureuse litanie.

MRS. MASTER —
O Lord !
MR. MASTER —
O Lord !
TOUS —
O Lord !
MR. MASTER —
Toi, qui garantis à l'argent le nerf de l'autorité !
MRS. MASTER —
Toi, qui répartis les biens de ce monde avec une confortable disparité !
MR. MASTER —
Toi, qui bénis en affaires les voies de la témérité !
MR. et MRS. MASTER —
Toi, qui toujours a veillé sur notre prospérité !
TOUS —
Toi, qui nous entretiens dans l'opulence et la sécurité !

MRS. MASTER —

Toi, qui dans tes faveurs toujours nous accordas priorité !

MR. MASTER —

Toi, qui partout consacras les privilèges de notre supériorité !

MRS. MASTER —

Toi, qui par tes distinctions nous donnas prééminence sur la vulgarité !

MR. MASTER —

Toi, qui déposas la fortune aux mains de notre minorité !

MR. et MRS. MASTER —

Toi, qui maintiens nos avantages au-dessus de la majorité !

TOUS —

Toi, qui répands ailleurs les maigres satisfactions de la médiocrité !

MR. et MRS. MASTER —

Toi, qui habitues notre entourage à dépérir dans une honnête obscurité !

TOUS —

Toi, qui tant de fois nous démontras ta solidarité !

MR. MASTER —

Toi, qui sur tous nos profits touches ta part avec régularité !

MR. et MRS. MASTER —

Toi, qui empoches tant de ristournes avec tant de célérité !

TOUS —

Toi, qui promis de perpétuer tous tes bienfaits sur toute notre postérité !

MRS. MASTER —

O Lord !

MR. MASTER —

O Lord !

TOUS —
O Lord !
MR. MASTER —
Pourquoi tout à coup nous traiter avec un tel excès de sévérité ?
TOUS —
O Lord !
MRS. MASTER —
Pourquoi désobliger un appui que nous t'avons toujours offert avec sincérité ?
TOUS —
O Lord !
MR. et MRS. MASTER —
Pourquoi céder bassement aux attraits d'une vile popularité ?
TOUS —
O Lord !
MRS. MASTER —
O Lord !
MR. MASTER —
O Lord !
TOUS —
Pourquoi nous accabler sous l'injuste rigueur d'un règlement immérité ?

Partant en procession pour ressortir par le fond-cour, ils attaquent encore une fois le lamento du début de la scène.

TOUS, *chantant* —
Shame on you, gouvernement ingrat !
Ta caisse a grossi par nos largesses,
Nous t'avons fait puissant, rouge et gras,
Tu as crû à même nos richesses.
And we feel so sad
That you ar' so bad !

And you ar' so bad
That we feel so sad!

Ils sont déjà disparus en coulisse.

SCÈNE 3

Le Gouverneur et le Conseiller ont traversé l'estrade de jardin en cour pour observer les autres qui s'éloignent et disparaissent. Ils restent encore là un moment à se consulter.

GOUVERNEUR — Vous avez entendu, mon cher Conseiller? D'un côté, la révolte gronde!...

CONSEILLER —
Ça, ce n'est pas bien inquiétant.
Chien qui aboie trop point souvent ne mord!

GOUVERNEUR — Mais de l'autre nous risquons de perdre nos soutiens les plus fidèles!...

CONSEILLER —
Là c'est un peu plus embêtant.
Il faut ménager la poule aux œufs d'or!

GOUVERNEUR — Alors que faire?

CONSEILLER — Eh bien! Monsieur le Gouverneur...

GOUVERNEUR — Je sais ce que vous allez me répondre. Gouverner! Mais nous traversons des circonstances difficiles, et, dans les moments difficiles, gouverner, ce n'est pas facile.

CONSEILLER — Je vous l'ai dit, Monsieur le Gouverneur, il faut consulter.

GOUVERNEUR, *indécis* — Consulter?...

CONSEILLER —
Eh bien, oui, consulter !
Avoir l'air d'écouter,
S'entendre avec ceux qui sont les plus forts,
Aux autres donner l'illusion d'améliorer leur sort !

GOUVERNEUR — C'est vraiment ce que vous me conseillez, Monsieur le Conseiller ?

CONSEILLER —
Eh oui ! Convoquez la population,
Nous entendrons ses représentations.

GOUVERNEUR, *en prenant son parti* — Bon !

Le Conseiller disparaît derrière le panneau du fond.

SCÈNE 4

GOUVERNEUR, *sur un ton de proclamation* — Attention ! À tous les habitants de la Pétaudière, attention ! Je désirerais m'adresser à l'ensemble de la population.

Tous les personnages vont accourir rapidement : les mangeurs de soupe aux pois par le fond-jardin, les deux Master par le fond-cour, Ladislava et Bouli-Boulou par le premier plan-cour.

MRS. MASTER — Come on, darling !

BEAUGRAS — Ben, quoè ? Qu'est-c' c'est qu'y a ?

MR. MASTER — Really ! À chap que nous avons élu avec notre propre argent !...

BOULI-BOULOU — Bouli-Boulou, y en a pas avoir content !

MARIA — Qu'est-ce qu'y va encore nous sortir à c't'heure ?

LADISLAVA — Discrimination, vous savez, elle n'est pas chose merveilleuse !

BAPTISTE — Lui, quand y parle, y f'rait ben mieux d'garder son souffe pour péter !

Tout le monde s'est groupé autour de l'estrade.

GOUVERNEUR *se raclant la gorge* — Hum ! hum ! hum !...

Chers concitoyens, je suis très heureux de vous annoncer que, compte tenu des inquiétudes manifestées par certains éléments de la population, à propos des conséquences éventuelles pouvant découler de l'application du nouveau règlement en vingt-deux articles destiné à définir le statut de la soupe à la Pétaudière, monsieur le Conseiller insulaire et moi-même avons pris la décision suivante...

MR. MASTER, *ronchonnant avec impatience* — Well... what is coming next ?

BEAUGRAS, *idem* — En tou'es cas, si y l'avait gardé pour péter, son souffe, ça y aurait faite lâcher une rôdeuse de bordée !

GOUVERNEUR — Monsieur le Conseiller, dans la louable intention de prêter une oreille attentive et démocratique à l'expression des aspirations populaires, a bien voulu condescendre à se constituer en commission rogatoire et consultative disposée à tenir audience, de manière que chaque opinion ait ainsi la chance et la liberté d'exposer son point de vue...

BEAUGRAS, *bas, en bougonnant* — Envoye, pour l'amour!... Aboutis dans 'a journée!

MARIA, *idem* — Eh! qu'ça y en prend don' ben long pour accoucher son histoère, lui!

MRS. MASTER, *idem* — J'espère qu'il n'est pas quelque chose de tricky dans ça!

GOUVERNEUR — Si des personnes ou groupes de personnes se sentent en désaccord avec certaines dispositions prévues dans le nouveau règlement en vingt-deux articles récemment promulgué, nous les invitons donc à rédiger des mémoires et à venir présenter leurs doléances devant cette commission, qui les entendra... pourvu qu'elles soient raisonnables.

MRS. MASTER, *décidée* — Come on, darling. C'est le moment d'agir.

BAPTISTE — Envoyez, v'nez-vous-en! Vous allez voèr que, des rapports, on va y en torcher sus l'temps des pommes!

LADISLAVA — Merveilleuse! Réclamation merveilleuse jé veux faire pour résidents nouveaux.

MR. MASTER — Nous allons regrouper nos forces, my dear. And we'll show them!

MARIA — Ben, y vont savoèr qu'est-c' c'est qu'on pense, pis ça s'ra pas une traînerie!

BOULI-BOULOU — Hou, la, la! Bouli-Boulou, y en a vouloir présenter beaucoup rapports.

BEAUGRAS — En tou'es cas, sa commission, a'est mieux de s'préparer pis de s'décrotter 'es oreilles parce que, l'opinion du monde, a' va l'entende!

Tous ces commentaires s'entrecroisent pendant que les divers groupes s'empressent de sortir de scène. Les mangeurs de soupe aux pois disparaissent derrière le panneau-jardin, les Master derrière

celui de cour, et Ladislava avec Bouli-Boulou au premier plan-cour.
Resté seul sur l'estrade, le Gouverneur commence à faire pivoter le panneau du fond.

SCÈNE 5

En tournant sur lui-même, le panneau nous révèle l'intérieur du palais gouvernemental. Le Conseiller se trouve en train d'installer un siège sur le milieu de l'estrade. Le Gouverneur, qui a suivi la révolution complète du panneau, vient le rejoindre.

GOUVERNEUR — Alors, mon cher Conseiller?
CONSEILLER — Nous avons déjà reçu huit cent cinquante-cinq mémoires.
GOUVERNEUR, *accablé* — Huit cent...
CONSEILLER — Eh, oui ! Six cent soixante-trois émanent d'individus ou groupements qui représentent les mangeurs de soupe aux pois...
GOUVERNEUR, *ennuyé* — Ça fait beaucoup !
CONSEILLER — Et deux cent vingt-deux venant de personnes ou associations qui se déclarent en faveur de la soupe au barley.
GOUVERNEUR — Ah ! c'est vraiment beaucoup !
CONSEILLER — En effet, c'est beaucoup. Mais la commission est prête, nous allons les entendre.
GOUVERNEUR, *effaré* — Tous?
CONSEILLER, *supérieur* — Monsieur le Gouverneur, consulter, c'est écouter, je veux bien. Mais une

honnête démocratie ne défend pas de pratiquer une... sélection éclairée.

GOUVERNEUR, *rassuré* — Ah, bon! Alors nous pouvons commencer?

CONSEILLER — Mais oui! Faites entrer.

Il s'installe sur le siège, pendant que l'autre descend sur le plateau pour appeler les délégués de la population.

SCÈNE 6

GOUVERNEUR, *annonçant* — Les audiences sont ouvertes. Les personnes ou groupements qui souhaitent se faire entendre sont invités à se présenter devant la commission qui siège sur son siège.

Tous les autres personnages apparaissent aussitôt, comme des souris sortant de leurs trous.

MARIA — Envoye, Baptisse!

BEAUGRAS — Pis donnes-y, aie pas peûr!

Baptiste s'avance avec un air décidé, tenant un grand rouleau de papier dans ses mains.
Le Gouverneur s'est dirigé au-devant de lui et l'accompagne vers la tribune. La même mise en scène va se répéter comme une sorte de petit ballet pour la présentation de tous les mémoires. Le Conseiller accueillera chacun par un très court refrain chanté, qui doit sonner un peu comme l'indicatif musical d'une émission radiophonique.

GOUVERNEUR — Venez, c'est par ici.

CONSEILLER, *chantant, quand Baptiste arrive devant lui* —

Parlez, parlez,
Un homme vous écoute.
Si vous voulez
Voir démêler
L'objet de tous vos doutes,
Allez, allez,
Parlez, parlez,
Un homme vous écoute.

BAPTISTE, *lisant son papier* — Mémoère présenté par la Ligue pour le droèt à la soupe aux pois au travail...

CONSEILLER — Veuillez déposer votre mémoire au pied de la commission.

Il désigne le plancher de l'estrade, devant lui. Baptiste dépose son rouleau de papier.

BAPTISTE, *attaquant un exposé* — En tant que représentant choèsi par la...

CONSEILLER, *l'interrompant* — C'est bon ! La commission étudiera votre mémoire.

BAPTISTE, *décontenancé* — Mais...

CONSEILLER, *appelant* — Suivant !

Le Gouverneur éconduit Baptiste vers le fond-jardin.

GOUVERNEUR — Allez, c'est par là !... (*Appelant.*) Suivant ! Venez, c'est par ici.

Comme Baptiste précédemment, mais venant cette fois du côté-cour, Mr. et Mrs. Master s'avancent avec leurs papiers. Le Conseiller les accueille avec sa chanson.

CONSEILLER —

Parlez, parlez,
Un homme vous écoute.
Si vous voulez
Voir démêler
L'objet de tous vos doutes,
Allez, allez,
Parlez, parlez,
Un homme vous écoute.

MR. MASTER, *lisant* — Mémoire présenté par l'Association des loyaux Descendants des Soldats mangeurs de Soupe au Barley...

MRS. MASTER, *idem* — Mémoire présenté par l'Institution des Noyaux représentant les Minorités chargées de promouvoir l'Adoption majoritaire de la Soupe au Barley...

CONSEILLER — Veuillez déposer vos mémoires au pied de la commission.

MR. MASTER, *déposant son papier* — En tant que délégué de...

CONSEILLER — C'est bon! La commission étudiera soigneusement votre mémoire.

MRS. MASTER, *qui a déposé son papier* — Mais...

CONSEILLER — En attendant toutefois, monsieur le Gouverneur va s'entretenir avec vous. (*Aimable.*) Please...

Il désigne du geste le Gouverneur, qui les appelle avec un sourire engageant.

GOUVERNEUR, *qui chante sur un ton racoleur* —

Venez, venez,
Je suis tout prêt à vous entendre.
Vous devinez,
Nous sommes faits pour nous comprendre.

Il entraîne les deux autres derrière le panneau du fond, en passant par le côté-cour.

CONSEILLER, *appelant* — Suivant !

Ladislava et Bouli-Boulou s'avancent du premier plan-cour.

CONSEILLER, *chantant* —
Parlez, parlez
Un homme vous écoute...

LADISLAVA, *l'interrompant impétueusement* — Mémoire présenté par Association dé résidents nouveaux attirés par Soupe dé Barley merveilleuse...

BOULI-BOULOU — Mémoire présenté par Mangeurs de Bouillie farine parpajou qui y en a vouloir switcher Soupe au Barley...

CONSEILLER — Veuillez déposer vos mémoires au pied de la commission.

LADISLAVA, *déposant son papier* — En tant qué merveilleuse...

CONSEILLER — C'est bon ! La commission étudiera votre mémoire.

BOULI-BOULOU — Mais, mon z'ami Missié...

CONSEILLER — En attendant, monsieur le Gouverneur va s'entretenir avec vous. Please...

Il désigne l'extrémité-cour du panneau gouvernemental. Le Gouverneur s'y montre et appelle les autres avec un geste aguicheur.

GOUVERNEUR, *chantant* —
Pssit ! pssit ! Venez !
Je suis tout prêt à vous entendre.
Vous devinez,
Nous sommes faits pour nous comprendre.

Ladislava et Bouli-Boulou disparaissent avec lui derrière le panneau.

CONSEILLER, *appelant* — Suivant !

Maria s'avance, venant du côté-jardin.

CONSEILLER, *chantant* —
Parlez, parlez,
Un homme vous écoute.
Si vous voulez
Voir démêler
L'objet de tous vos doutes,
Allez, allez...

MARIA, *impatientée, l'interrompant* — Bon, ben c'correct ! *(Lisant)* Mémoère présenté par le Regroupement insulaire des Brâsseuses de Soupe aux Pois...

CONSEILLER — C'est bon ! Déposez votre mémoire au pied de la commission. (*Appelant*) Suivant !

MARIA, *déposant son papier* — Mais...

CONSEILLER — Suivant !

Maria se retire avec dépit par le fond-jardin, pendant que la mère Beaugras accourt pour prendre sa place.
La musique entonne le thème de «Parlez, parlez...» mais le Conseiller n'a même pas le temps d'ouvrir la bouche pour chanter.

BEAUGRAS, *attaquant aussitôt* — Mémoère présenté par les Mouvements culturels spécialisés dans la Culture des Pois à Soupe...

CONSEILLER, *expéditif* — C'est bon, déposez ! Suivant !

BEAUGRAS — Mais...

CONSEILLER — Suivant !

La mère Beaugras laisse donc son papier sur l'estrade et disparaît par le fond-jardin, en bougonnant. Les deux Master réapparaissent par le côté-cour.

CONSEILLER, *chantant* —
Parlez, parlez,
Un homme vous écoute.
Si vous voulez
Voir démêler
L'objet de tous vos doutes,
Allez, allez,
Parlez, parlez,
Un homme vous écoute !

MR. MASTER — Mémoire présenté par la Chambre des Banquiers investisseurs dans le Commerce interinsulaire de Barley Soup...

MRS. MASTER — Mémoire présenté par l'Association des Parents mangeurs de Soupe au Barley du plus grand bout de l'Île.

CONSEILLER — C'est bon ! Déposez vos mémoires, et monsieur le Gouverneur va s'entretenir avec vous.

Le Gouverneur apparaît au bout du panneau du fond, en cour.

GOUVERNEUR, *chantant* —
Pssit ! pssit ! Venez,
Je suis tout prêt à vous entendre.
Vous devinez,
Nous sommes faits pour nous comprendre !

Les Master disparaissent avec lui derrière le panneau. Le Conseiller se lève majestueusement.

CONSEILLER, *proclamant sur un ton solennel* — L'audience est levée. La commission déclare officiellement qu'elle a fini de siéger.

Il ramasse les mémoires accumulés à ses pieds, sur la tribune, pendant que les trois mangeurs de soupe aux pois accourent par l'avant-jardin.

BEAUGRAS — Aïe ! aïe !... Pas tut suite ! Attendez !...
MARIA — Nus autes, on a pas fini !
BAPTISTE — On a encôre ben d'autes mémoères qu'on veut présenter.
CONSEILLER — Nous regrettons, mais la commission consultative a assez consulté.
BAPTISTE — Y reste celui d'l'Association des droèts d'l'homme à péter quand el'besoin s'en fait sentir...
CONSEILLER — Désolé, mais la commission rogatoire ne voit plus la nécessité d'interroger !
BEAUGRAS — Pis y a la Ligue pour el'maintien d'la brique de lârd dan'a soupe aux pois...
CONSEILLER — Inutile ! La commission informative a conscience de se trouver suffisamment informée !
MARIA — Pis l'Mouvement radical pour l'affichage prioritaire d'la soupe aux pois su'es menus des...
CONSEILLER — Nous proclamons solennellement que les audiences sont terminées. Le couperet de la guillotine va tomber ! La commission tire la chaîne...

Dans un geste large et dramatique, il abaisse le bras, tirant sur une chaîne imaginaire.
On entend éclater un bruit de chasse d'eau, qui retentit avec des gargouillis énormes.

TRIO, *révoltés* — Oh !...

CONSEILLER — Maintenant la commission délibérante va délibérer. Nous pourrons ensuite passer à la commission de lecture, et la commission réglementative se trouvera en état de réglementer.

MARIA — Pis une, deux, trois ! envoye don', l'rouleau compresseur !

BEAUGRAS — Une, deux, trois ! vite el'bâillon, pour étouffer ceux qui auraient encôre envie d'parler !

BAPTISTE — Une, deux, trois ! on la connaît, la chanson ! Une fois ! Deux fois ! Trois fois ! Bingo ! Vendu !

MARIA — Vendus !

BEAUGRAS — Vendus !

TRIO — Vendus !

Le panneau du fond a commencé à pivoter sur lui-même. En lançant leurs imprécations au Conseiller, ils suivent le mouvement circulaire du décor, et les quatre personnages se trouvent ainsi à disparaître.

SCÈNE 7

Le Gouverneur, qui avait justement poussé le panneau du fond pour lui faire exécuter son demi-tour, se trouve à apparaître avec Mr. et Mrs. Master, Ladislava et Bouli-Boulou, les raccompagnant ainsi à la porte du palais gouvernemental.

Ils ont tous l'air de s'entendre comme larrons en foire, et leur accord se conclut sur la reprise de l'air déjà chanté précédemment.

GOUVERNEUR —

Voilà ! voilà !
J'étais tout prêt à vous comprendre.

4 AUTRES —

C'est bien cela,
Nous étions faits pour nous entendre.

TOUS —

Voilà ! voilà !
Nous étions prêts à nous entendre.
Oh, la, la, la !
Nous étions faits pour nous comprendre !

Ils ont échangé des poignées de mains. Pendant la reprise finale, les Master descendent avec Ladislava et Bouli-Boulou pour sortir en cour. Ils disparaissent du plateau, en même temps que le Gouverneur retourne derrière le panneau du fond, par le côté-cour.

SCÈNE 8

Aussitôt après vont entrer les trois mangeurs de soupe aux pois. On commence d'abord par entendre leurs voix poussant un long gémissement plaintif et étranglé, un peu comme des chiens qui hurlent. Quand ils apparaissent, on constate qu'ils portent sur le bas du visage des espèces de muselières à chiens. Baptiste est dans le milieu, encadré par les deux femmes. Ils se trouvent liés l'un à l'autre par des chaînes, dont ils tiennent les bouts dans leurs mains.

Ils vont descendre ainsi vers le public et commencer à chanter le chœur de l'opposition muselée.

TRIO, *hurlant au loin comme des chiens* — Whou... ou!... Whou...ou!... Whou...ou!... Whou...ou!...

(*Chanté.*)

C'est nous,
Whou... ou!...
C'est nous,
Whou... ou!...
Les chiens d'l'opposition avec nos muselières!
Si vous
Whou... ou!...
Si vous
Whou... ou!...
Croyez qu'nos gémiss'ments peuv' attendrir les [pierres,
Pas nous!
Whou... ou!...
Pas nous!
Whou... ou!...

La commission qui nous bâillonne
Veut pus nous écouter, parsonne.
L'Gouvarnement sort le couteau
Pour fair' tomber sa guillotine.
Les arguments, c'est l'coup d'marteau,
Pâsse au pilon, march' dan' machine!
Pus l'droè't d'parler, pis serr' l'étau!
Le droèt d'êtr' contre, y l'assassinent!

Les six autres comédiens, avec masques et manteaux, entrent à leur tour et viennent se presser derrière eux.
Ils reprennent le refrain tous ensemble.

TOUS —

C'est nous,
Whou... ou !...
C'est nous,
Whou... ou !...
Les chiens d'l'opposition avec nos muselières!
Si vous
Whou... ou !...
Si vous
Whou... ou !...
Croyez qu'les gémiss'ments vont attendrir les [pierres,
Pas nous !
Whou... ou !...
Pas nous !
Whou... ou !

TRIO —

Mais par en d'dans, là, ça bouillonne.
Y vont trouver que l'temps s'morpionne !
Le temps, on'nn a ben qu'trop pardu
A ronger l'os des bons chiens sages.
Y s'fi' qu'on a jamais mordu,
Mais l'jour s'en vient qu'y'aura l'orage,
Pis, ceux qui nous auront vendus,
On les mordra avec not' rage !

TOUS —

Quand tous
Whou... ou !...
Quand tous
Whou... ou !...
Les chiens auront brisé les liens d'leûs [muselières,
Ben, vous
Whou... ou !...

Ben vous
Whou... ou!...
Verrez qu'les hurlements vont renvarser les
[pierres!
Ben vous
Whou... ou!...
Ben vous
Whou... ou!...
Verrez qu'les hurlements vont renvarser les
[pierres!

L'éclairage s'éteint brusquement.
On remonte dans les cintres la pancarte portant le titre de cette cinquième journée.
Les six comédiens de la foule se hâtent de sortir du plateau.

VI • LE GRAND JOUR !

Quand la lumière revient, Baptiste, Maria et la mère Beaugras sont toujours debout à la même place, avec leurs visages muselés et leurs poings enchaînés, les bras tendus en avant.
Un nouvel écriteau descend pour annoncer le titre de la sixième journée: **VI • LE GRAND JOUR!**

SCÈNE 1

TRIO, *violemment* — Prout-ou-out !

Ils brisent leurs chaînes, arrachent leurs muselières et lancent tous ces accessoires en coulisse.

TRIO —
Ça vient d'péter !

BAPTISTE —
Vous trouvez pas, vous autes, que ça fait assez longtemps qu'on s'fait bourrer?
MARIA —
Oui, on'nn a assez!
BEAUGRAS —
On'nn a assez!
TRIO —
On'nn a assez de s'faire bourrer!
BAPTISTE —
Pis vous pensez pas qu'ça commence à faire assez d'foès qu'nus autes, on s'fait fourrer?
MARIA —
Oui, on'nn a assez!
BEAUGRAS —
On'nn a assez!
TRIO —
On'nn a assez de s'faire fourrer!
MARIA —
Pis on'nn a assez
De s'faire bordasser!
BEAUGRAS —
Pis on'nn a assez
De s'faire bourasser!
BAPTISTE —
On'nn a assez! assez! assez!
TRIO —
On'nn a assez de s'faire bourasser!
MARIA —
On'nn a assez du Gouvarneur pis du
[Gouvarnement!
BEAUGRAS —
On'nn a assez du Conseiller pis d'ses
[règlements!
BAPTISTE —
On'nn a assez! assez! assez!

TRIO —

On'nn a assez!

MARIA —

On'nn a assez de s'faire écraser les droèts
d'la majorité
parce qu'y faudrait ménager les droèts
d'la minorité!

BEAUGRAS —

On'nn a assez de s'faire taper su'es doègts
par la minorité,
quand on aurait yen qu'à faire les loès
au nom d'la majorité!

BAPTISTE —

On est assez!

MARIA et BEAUGRAS —

Oui, on est assez!

TRIO —

On est assez! on est assez! on est assez!

BAPTISTE —

On est assez pour manger not' soupe aux pois
partout chez nous, sans nous empêcher d'péter!

MARIA et BEAUGRAS —

On est assez pour manger
not' soupe aux pois,
pis qu'on trouve pus d'barley d'dans pour nous la gâter!

TRIO —

On est assez! on est assez! on est assez!

Ils marchent résolument vers la cour et se mettent à frapper sur le panneau constituant la demeure des Master.

SCÈNE 2

MARIA — Aïe ! vous autes, là !

BEAUGRAS — Aïe ! les Master !

BAPTISTE — Aïe ! les mangeux d'barley !

MR. MASTER, *apparaissant* — What is the matter?

MRS. MASTER, *arrivant derrière lui* — Qu'est-ce que c'est que ce désordre, darling ?

MR. MASTER — C'est le pea soup, my dear ! (*Aux autres*) What do you want ?

BAPTISTE — On vient vous déclarer nos quate volontés.

MARIA — On est tannés de s'faire m'ner.

BEAUGRAS — À partir d'aujourd'hui, c't à nus autes à décider la soupe qui va s'manger dans l'île.

BAPTISTE — On est pluss de monde que vous autes à'a Pétaudiére, y a pas d'raison qu'on soye pas les plus forts.

MRS. MASTER, *outrée* — Oh ! the cheek of those people !

MR. MASTER — Don't worry my dear ! (*Aux autres.*) So... vous prétendez que votre nombre est plus fort que nous ?

MARIA — Ben çartain !

BEAUGRAS — Yen qu'à voèr, on voèt ben !

BAPTISTE — Pas besoin d'barlander, tout l'monde sait ça.

MR. MASTER — Well, it is not so sure, mes bons amis.

MRS. MASTER — We must call our new friends, darling.

MR. MASTER — Exactly, my dear !

MRS. MASTER — Ladislava, dear ! Bouli-Boulou !... Please, venez ici !

MARIA, *à Baptiste et Beaugras* — Qu'est-c' ça veut dire, c't'affaire-là ?

Ladislava accourt impétueusement, en compagnie de Bouli-Boulou.

LADISLAVA — Voilà ! Jé viens ! J'arrive ! Toute présente jé souis !
BOULI-BOULOU — Bouli-Boulou, y en a être ici !
MR. MASTER — Vous êtes bien nos amis, aren't you ?
BOULI-BOULOU — Oh, oui ! Missié mon z'ami !
LADISLAVA — Merveilleuse ! Amitié merveilleuse j'ai pour vous !
BAPTISTE — Pis nus autes, vous êtes pas nos amis ?
LADISLAVA — Amitié merveilleuse j'ai pour vous aussi !
MARIA — Pis not' soupe aux pois, vous l'aimez pas ?
BOULI-BOULOU — Oh, oui ! Y a bon, Madame mon z'amie !
MRS. MASTER, *catégorique* — But you prefer barley soup ! Notre soupe au barley est meilleure of course.
BOULI-BOULOU — Bouli-Boulou, lui, y en a aimer mieux bouillie farine parpajou.
LADISLAVA — Vous savez, soupe aux pois, merveilleuse ! Soupe dé barley, merveilleuse !... Moi, la soupe, il mé fait rien. Seulement manger jé veux la même soupe qué, tout lé monde, il mange.
BOULI-BOULOU, *approuvant* — Hou, la, la ! Bouli-Boulou, y en a vouloir, lui aussi.

Les deux immigrants vont continuer à s'expliquer en chantant le petit duo qui suit.

LADISLAVA —
Vénu' jé souis dans l'îl' dé Pétaudière
Pour adopter patrie hospitalière.

S'il faut choisir entré pois et barley,
Pour enrichir jé peux tout avaler.

Prospérité merveilleuse
Jé m'attends comm' travailleuse !

BOULI-BOULOU —
Prospérité, y'en a bon
Pour avoir candy-bonbon !

Bouli-Boulou, y'en a vouloir des cennes,
Y'en a vouloir sentir la panse pleine.
Y'en a choisir être avec le plus fort,
Mais pas forcer pour trop fair' des efforts.

LADISLAVA —
Prospérité merveilleuse
Je m'attends comm' travailleuse !

BOULI-BOULOU —
Prospérité, y'en a bon
Pour avoir candy-bonbon !

MR. MASTER, *enchaînant, parlé* — Alors mangez le barley soup avec nous, nous devenons la majorité, and the game is over !

BAPTISTE — Ben, non ! C'est nus autes qui l'a d'jà, la majorité. V'nez manger not' soupe aux pois avec nus autes, pis l'problème est réglé.

LADISLAVA, *perplexe* — Vous savez, toute embarrassée jé souis.

BOULI-BOULOU — Bouli-Boulou, y en a pas savoir.

LADISLAVA — Vraiment jé sens tout mon organizme qui continue dé branler pour hésiter...

BEAUGRAS, *tannée* — Ben, ça va faire là !

MARIA — Oui, ça va faire ! Envoye, Baptisse, on va au Gouvarnement !

Ils montent vers le panneau du fond, suivis à distance par Ladislava et Bouli-Boulou toujours indécis.

SCÈNE 3

Les deux immigrants restent en retrait, pendant que les trois autres se groupent devant l'estrade en gueulant.
Quant aux Master, dès qu'ils s'apercevront de la tournure que prennent les événements, ils s'empresseront de filer derrière le panneau-cour.

MARIA — On veut voèr le Gouvarneur!
BEAUGRAS — On veut voèr le Conseiller!
BAPTISTE — On veut voèr le Gouvarnement!
MARIA — Envoyez! Montrez-vous!
BAPTISTE — Sortez-vous 'a face, si vous êtes pas des peureux!

Le Gouverneur apparaît craintivement sur l'estrade. Il est tout tremblant et fait signe au Conseiller de sortir, lui aussi.

GOUVERNEUR, *suppliant* — Mais venez, Monsieur le Conseiller!
CONSEILLER, *se risquant dehors à son tour* — Eh, bien! c'est vous qu'on réclame, Monsieur le Gouverneur. Allez!
GOUVERNEUR — Oui, mais venez!
TRIO — Les v'là! les v'là!

GOUVERNEUR, *essayant le ton solennel et pathétique* — Mes chers amis ! Chers conci...

MARIA — Pas d'discours !

BAPTISTE — Ça fait pour les boniments !

GOUVERNEUR, *apeuré* — Mais c'est une manifestation, Monsieur le Conseiller !

TRIO — L'temps des manifestations pour manifester, c'est fini !

CONSEILLER — Je crois que c'est de la protestation, Monsieur le Gouverneur.

TRIO — L'temps d'la protestation pour protester, ça marche pus !

GOUVERNEUR — Vraiment j'ai l'impression qu'il faudrait agir, Monsieur le Conseiller.

TRIO — Envoyez, grouillez-vous ! À c't'heure, c'est l'temps d'l'action.

BAPTISTE — Finis, les discours pis les boniments ! Y faut pâsser aux actes !

MARIA — On veut qu'la question d'la soupe soye réglée une bonne foès pour toutes !

BEAUGRAS — Pis vot' fameux règlement, on en veut pas. On pète dessus ! On s'lave les pieds d'dans !

MARIA — On veut qu'ça soye la soupe aux pois partout dans l'île !

BEAUGRAS — La soupe au barley, dans son trou !

BAPTISTE — Pis si ça marche pas d'même, on part charcher nos tire-pois, pis vous allez y goûter !

TRIO — Vous allez y goûter ! Vous allez y goûter en maudit !

CONSEILLER — En vérité, c'est une émeute, Monsieur le Gouverneur.

GOUVERNEUR, *affolé* — Eh, bien ! vous avez raison... Je... je vois... C'est... (*Aux autres.*) Mes amis... puisque les désirs de la population semblent... monsieur le Conseiller et moi-même, nous allons étudier la question... et...

MARIA — Pas d'taponnage !
BEAUGRAS — On veut des actes !
TRIO — On veut des actes !
BAPTISTE — Pis tout d'suite ! Ou ben non, c'est l'tire-pois !
TRIO — C'est l'tire-pois !
GOUVERNEUR, *cherchant ses mots* — Eh, bien ! nous sommes prêts à... Si toutes les couches de la population... aspirent à voir la soupe aux pois... euh... nous serons prêts à...

SCÈNE 4

Juste avant que le Gouverneur attaque sa dernière réplique, les Master sont sortis de chez eux. Ils poussent le landau d'enfant qui servait de cantine pour la soupe au barley. La marmite, les bols, toute la cuisine ont disparu, et la voiturette est remplie à déborder de petits sacs de toile, tous marqués du signe **$**. Sur les côtés du landau, on lit l'inscription **BRING'S.**

MR. MASTER — No !
MRS. MASTER — No !
MR. et MRS. MASTER — No ! no ! no !
MR. MASTER — We refuse !
MRS. MASTER — Nous refusons !
MR. MASTER — Vous ne pouvez pas ! It's ultra vires !
MRS. MASTER — We want statu quo to be maintained !
MR. MASTER — Rien ne doit changer !
MRS. MASTER — Rien ne doit bouger !
MR. et MRS. MASTER — No move ! No change !

Ils déambulent à travers le plateau, en promenant ostensiblement leur landau chargé d'argent.
Cette irruption a d'abord causé un mouvement de surprise parmi les autres personnages.

BAPTISTE — Ça, c'est toujours ben c'qu'on va voèr!
GOUVERNEUR — Mais...
MARIA — Pis vous, l'Gouvarneur, attention à c'que vous allez faire!
MR. MASTER — Mister le Gouverneur...
MRS. MASTER — Mister le Conseiller...
MR. MASTER — Please, never forget! C'est auprès de nous que vous avez toujours trouvé vos meilleurs appuis.

Il pousse le landau devant eux et leur brandit un sac d'argent sous le nez.

GOUVERNEUR — Hé bien!...
CONSEILLER — En vérité...
MRS. MASTER, *à Ladislava et Bouli-Boulou* — Chers amis...
MR. MASTER, *idem* — Yes! My dear friends!...
MRS. MASTER — Venez avec nous. Stick with us! Vous n'aurez pas à le regretter. Look at that!
MR. MASTER — That's real candy, you see?

Mrs. Master passe un sac d'argent sous le nez de Ladislava et de Bouli-Boulou émerveillés.

BOULI-BOULOU — Hou, la, la!
LADISLAVA — Ah! Merveilleuse!
BAPTISTE — Aïe! Y vont pas essayer d'nous r'faire le coup du cârosse de cennes, eux autes!
MARIA — La premiére foès, ça pogne, mais...
BEAUGRAS — Là, ça pogne pus!

GOUVERNEUR, *s'agitant entre les deux groupes* — Mes amis!... My friends!...

CONSEILLER, *idem* — My friends!... Mes amis!... La situation va s'arranger.

GOUVERNEUR — La situation va se régler. À la satisfaction générale, for sure!

CONSEILLER — For sure!

MRS. MASTER — We want a regulation!

MR. MASTER — Nous voulons une réglementation pour rendre le barley soup official here!

MRS. MASTER — Definitely! Otherwise...

MR. MASTER — Autrement nous prenons toutes nos affaires, nous embarquons on the next boat...

MRS. MASTER — Et nous partons nous installer sur l'autre île, à côté, with the business!

Ils amorcent un mouvement de départ avec leur landau.

GOUVERNEUR, *affolé* — Mais ça va s'arranger, mes amis!

CONSEILLER — My friends! Le problème va se régler, I am quite sure!

GOUVERNEUR — Je suis certain que nous allons trouver une solution pour satisfaire l'ensemble de la popul...

BAPTISTE, *catégorique* — Ça s'peut pas.

MARIA — Eux autes, y s'ront jamais contentabes.

BEAUGRAS — Pis nus autes, on veut pus s'contenter d'affaires à moètié.

GOUVERNEUR — Mais la situation s'est toujours arrangée! Alors je ne vois pas pourquoi encore cette...

MARIA — C'tait pas 'a situation, c'est nus autes qui s'faisait arranger!

BAPTISTE — Mais là c'est pus pareil: on est tannés!

MARIA et BEAUGRAS — On'nn a assez !

BAPTISTE — L'temps du patinage par devant pis de r'culons, c'est fini !

MARIA et BEAUGRAS — On a dit qu'on voulait d'l'action !

BAPTISTE — On a dit qu'on voulait d'l'action, pis on va'nn avoèr, sacrament ! Déhors !

GOUVERNEUR, *interdit* — Comment ?

BAPTISTE — J'ai dit : déhors !

CONSEILLER — Mais je ne comprends pas... Que voulez-vous dire par là, mon ami ?

BAPTISTE — J'veux dire : sacrez vot'camp, on a pus besoin d'vous autes pour nous gouvarner ! C'est pourtant facile à comprende, ça ?

GOUVERNEUR — Mais nous avons reçu un mandat clairement exprimé par la majorité de la population et nous...

BAPTISTE — Ben, là, la majorité d'la population, a' vous exprime qu'a'vous sacre déhors ! C'est-y assez clair, ça ?

BEAUGRAS — Tant qu'on s'ra pognés avec du monde comme vous autes au Gouvarnement, on rest'ra toujours dans l'trou. Déhors !

MARIA et BAPTISTE — Déhors !

GOUVERNEUR — Mais... *(Se tournant vers les Master.)* Dear friends... mes amis... aidez-nous !

CONSEILLER, *idem* — Chers amis... my friends... please, help !

GOUVERNEUR et CONSEILLER, *implorant* — Help ! help !

MR. MASTER — Well... peut-être serait-il possible de trouver un compromis ? You see ?...

Il saisit un sac d'argent, qu'il montre à Baptiste.

BAPTISTE — On marche pas !
MARIA et BEAUGRAS — On marche pas !
BAPTISTE — Finis, les compromis ! Ça marche pus ! (*Au Gouverneur et au Conseiller.*) Pis vous autes, vous v'nez d'parde vot' job. Déhors !
MARIA et BEAUGRAS — Déhors !

Baptiste a bousculé le Gouverneur et le Conseiller au bas de l'estrade. Maria et la mère Beaugras leur arrachent les écharpes, emblèmes de leurs fonctions.

BAPTISTE — Vous v'là débarqués du pouvoèr ! Fini d'prende el'beûrre à'a poègnée !
MARIA — À c't'heure, vous allez manger 'a soupe dans vot' bol. Comme les autes !
BEAUGRAS — Pis vous allez vous contenter qu'y soye pas plus grand qu'celui d'tout l'monde !

Le Gouverneur et le Conseiller déchus se retirent piteusement derrière les autres personnages. Réactions inquiètes des Master.

MRS. MASTER — Mais que se passe-t-il, darling ?
MARIA — Y s'pâsse que, la soupe aux pois, quand ça fait trop longtemps qu'a' bouille sus l'feu, ben, a' commence à renvarser !
MR. MASTER — Mais c'est la révolution, my dear !
MRS. MASTER, *choquée* — Oh ! What a disgrace !
BAPTISTE — Quins ! C'est ben simpe... Faut renvarser l'Gouvarnement !
MARIA et BEAUGRAS — On renvarse el'Gouvarnement !
TRIO — On renvarse el'Gouvarnement !

Ils se sont précipités tous trois sur l'estrade et ils abattent le panneau du fond, découvrant ainsi

un grand drapeau québécois qui occupe toute la hauteur de la scène.
Vive réaction de tous les autres personnages.

TOUS — Oh!

BAPTISTE — Pis à partir d'à c't'heure, c'est nus autes qui va gouvarner.

BEAUGRAS — Baptisse, on t'élit président d'l'assemblée insulaire!

MR. MASTER — Mais vous ne savez pas gouverner!

BAPTISTE — On apprendra.

MARIA et BEAUGRAS — Vive Baptisse! Vive el' nouveau président!

MR. MASTER — Je crois que nous faisons mieux de partir, my dear.

MRS. MASTER — Yes, darling. We must depart with dignity!

Ils saisissent leur landau et s'apprêtent à filer avec les sacs. Baptiste leur barre aussitôt le chemin.

BAPTISTE — Aïe! Wô, là!... Avec d'la dignité tant qu'vous en voudrez, mais pas avec ça. Vous pouvez ben déménager ailleurs si ça vous chante, mais, l'càrosse, y reste icite.

MARIA — Y reste icite avec toute c'qu'y a d'dans!

MRS. MASTER — But you have no right!

MR. MASTER — Vous n'avez pas le droit!

BAPTISTE — On s'en sacre. On l'prend! C'càrosse-là, y va ête à tout l'monde à'a Pétaudiére. Vous avez yen qu'à rester dans l'île, pis y va s'trouver à vous autes aussi.

MARIA — Restez icite, vous avez en belle! Nus autes, on a pas d'objections.

BEAUGRAS — Mais préparez-vous à vous mette à'a soupe aux pois, par 'zempe! Comme tout l'monde!

BAPTISTE — Beau dommage! La soupe aux pois, comme les autes. Autrement sacrez l'camp! Mais l'cârosse, lui, pas question qu'y parte d'icite!

MARIA et BEAUGRAS — On l'garde, pis y est à toutes nus autes!

MR. MASTER, *réfléchissant* — Well...

MRS. MASTER — What do you think, darling?

MR. MASTER — I think... I believe... Well, my dear... là où sont nos biens, là aussi est notre demeure!

Il indique du geste le landau avec les sacs d'argent.

MRS. MASTER, *noblement* — Our belongings make our dwellings. Right, darling!

MR. MASTER, *à Baptiste* — Alors nous restons.

MRS. MASTER — Nous demeurons.

MR. et MRS. MASTER — Et nous mangerons la soupe aux pois!

MARIA — Mais vous êtes mieux d'pas faire les becs fins d'ssus!

BEAUGRAS — Pis vous avez besoin d'pas vous essayer à péter plus haut que l'trou!

MRS. MASTER — Good gracious, no! (*Se reprenant vivement*) Euh... Oh! bonté gracieuse, non!

BOULI-BOULOU, *accourant soudain* — À présent, Bouli-Boulou aussi, y en a vouloir manger soupe aux pois! Soupe aux pois, y a bon!

LADISLAVA — Et moi aussi maintenant... Jé désire, j'aspire, jé veux! Déjà jé sens tout mon organizme pomper sécrétions dé ferveur dans mes glandes d'appétit pour manger soupe aux pois merveilleuse!

MARIA — Ben, tant mieux! Pluss qu'y aura d'monde autour d'la chaudronne, mieux qu'ça s'ra!

BEAUGRAS — Pluss qu'on s'ra d'monde pour manger not' soupe aux pois, pluss qu'on s'ra forts!

BAPTISTE — Pis pluss qu'on s'ra forts, pluss qu'on s'ra capabes d'envoyer péter les autes qui voudront essayer de v'nir nous m'ner. Ça fait qu'de même, toute va changer!

MARIA et BEAUGRAS — Toute va changer! Toute va changer dret à c't'heure!

Les perches portant les enseignes qui constituaient la décoration vont commencer lentement à remonter une à une dans les cintres, jusqu'à la fin de la scène. Il ne restera donc plus que le drapeau québécois déployé sur le fond du décor.

BAPTISTE — Toute va changer, parce qu'on aura pus besoin d'manger 'a soupe des autes pour ête maîtes chez nous!

MARIA et BEAUGRAS — On va travailler, pis on va v'nir maîtes chez nous!

BAPTISTE — Pis les problèmes qui vont arriver, parce qu'y va'nn arriver, ça, c'est ben çartain, on va s'cracher dan'es mains, pis on va faire de not' mieux pour les régler. Les régler à not' profit, pas au profit des autes!

MARIA et BEAUGRAS — On va travailler pour not' profit, pus pour el'profit des autes!

BAPTISTE — On va ête du monde indépendant, qui s'promène librement dans leû champ d'pois. C't entendu, c'est pas yen qu'ça qu'y faut pour avoèr el'bonheur, mais t'ed ben qu'ça, ça va nous donner l'cœur de travailler toutes ensembe pour v'nir du monde heureux!

MARIA — On va ête indépendants!

BEAUGRAS — On va ête libes!

MARIA et BEAUGRAS — Pis on va ête heureux!

TRIO —

On va ête du monde qui vit chez eux !
Du monde qui travaille toute ensembe pour ête heureux !

Tous les autres personnages se joignent à eux.

TOUS —

On va ête du monde qui vit comme du monde !
On va ête du monde qui vit chez eux !
On va ête du monde qui travaille toute ensembe pour ête heureux !

Pendant les dernières répliques, c'est l'écriteau indiquant le titre de la journée qui est remonté dans les cintres. Les lumières s'éteignent brusquement.

VII • UN JOUR PEUT-ÊTRE...

Durant le black-out, aussi court que possible, on a redescendu la frise de décorations bleues et blanches de la première journée.
Les comédiens ont tous endossé leurs manteaux, mais sans mettre les masques. Ils se disposent comme au prologue. Quand l'éclairage se rallume, une pancarte descend des cintres pour annoncer le titre de la dernière journée: **VII • UN JOUR PEUT-ÊTRE...**
Le chant choral qui suit doit éclater comme une sorte d'hymne triomphal au caractère entraînant et joyeux.

TOUS —
Nos pér' nous ont laissé un beau champ d'pois
Avec des campagnes
Entouré' d'montagnes,
Un fleuv', pis des riviér', des lacs, des bois,
Pour qu'on s'y complaise,
Qu'on y vive à l'aise.

Mais les voèsins sont v'nus chez nous,
Y nous ont pris nos héritages,
Y'ont régenté nos biens partout,
À leû profit, leûs avantages.

Pendant plus d'deux cents ans, trent' jours par
[mois,
Y'a ben fallu s'taire
En grattant la terre,
Y'a fallu chârrier d'l'eau, pis fend' du bois
Sans qu'on s'y complaise,
Sans qu'on vive à l'aise.

Un jour pourtant on s'est tannés
De voèr les aut' êt' confortabes,
De s'fair pâsser les plats sous l'nez,
D'avoèr not' place en d'ssous d'la tabe.

La maniér' de pouvoèr manger des noix,
C'pas qu'y nous en donnent,
C'est qu'nos dents soy' bonnes!
La raison pour pouvoèr er'prend' nos droits,
C'est ben qu'ça nous plaise,
Ça nous mette à l'aise!

L'pays qui nous appartenait
Vient de r'trouver sa voix profonde.
On s'est donné l'droit d'dir' c'qu'on est
Parmi les aut' nations du monde!

Qu'on est heureux chez nous, dans nos champs
[d'pois,
Dans nos bell' campagnes
Entouré' d'montagnes!
On sait qu'on est enfin sortis du bois,
Entre gens qui s'plaisent,
Pis qui viv' à l'aise.

Qu'on s'sent don' ben un' fois sortis du bois,
Entre gens qui s'plaisent,
Pis qui viv' à l'aise !

Le chant se conclut sur un ton percutant, accompagné par un roulement de timbales.
La pancarte portant le titre de la journée remonte rapidement dans les cintres.

ÉPILOGUE

*Un dernier écriteau descend aussitôt pour annoncer l'***ÉPILOGUE.**
Les neuf comédiens ajustent leurs masques sur leurs visages.
Ils s'avancent vers le public, à qui ils vont s'adresser sur un ton direct, presque détaché, contrastant avec la ferveur enthousiaste du chant qui a précédé.
Les noms placés ici en regard des répliques serviront encore de repère pour leur attribution, mais les personnages ont maintenant complètement disparu derrière les acteurs.

BAPTISTE — C'est ainsi qu'les habitants d'la Pétaudière réussirent à prendre en main leur destinée et à se sortir des beaux draps inconfortables entre lesquels les caprices de l'histoire avaient un jour décrété d'les faire coucher.

MARIA — À partir de c'moment-là, ils vécurent heureux en mangeant la soupe de leur choix.

BEAUGRAS — Ils vécurent heureux et ils eurent beaucoup d'enfants.

BAPTISTE — Beaucoup d'enfants qui, tous, autant qu'leurs pères et mères, devinrent de solides péteurs, de bons et redoutables mangeurs de soupe aux pois.

TOUS — Et ils furent heureux !
Ils furent très heureux !

GOUVERNEUR — Bien entendu, cette pièce était une fable.

TOUS — Cette pièce était une fable...

MR. MASTER — Voilà pourquoi elle peut se terminer comme se terminent toutes les fables, c'est-à-dire... bien !

TOUS — Cette pièce était une fable...

BAPTISTE — Et toute ressemblance que vous pourrez y trouver avec une quelconque réalité n'aura donc que trop... ou trop peu... de fondement !

4 FEMMES — Cette pièce était une fable...

5 HOMMES — Cette pièce était une fable...

TOUS — Cette pièce était une fable !

achevé à Montréal
le 23 août 1974

TABLE

DANS LA MÊME COLLECTION

23 *Le procès de Jean-Baptiste M.* de Robert Gurik, 91 p.

24 *Le roi des mises à bas prix* de Jean-Claude Germain, 96 p.

25 *Le tabernacle à trois étages* de Robert Gurik, 70 p.

26 *C'est toujours la même histoire* de Claude Jasmin, 53 p.

27 *Le rêve passe...* de Clémence Desrochers, 56 p.

28 *Le Chant du sink* de Jean Barbeau, préface de Jean-Guy Sabourin, 82 p.

29 *Le désir* et *Le perdant* de André Major, préface de François Ricard, 70 p.

30 *L'Illusion de midi* et *L'Aventure* de Alain Pontaut, préface de Marcel Dubé, 68 p.

31 *Impromptu pour deux virus* de Pierre Filion, 64 p.

32/33 *Hosanna* et *La duchesse de Langeais* de Michel Tremblay, 106 p.

34 *Hôtel San Pedro* de Ernest Pallascio-Morin, 71 p.

35 *La maison des oiseaux* de Gilles Derome, 77 p.

36 *Oui chef* et *L'arme au poing ou larme à l'oeil* de Dominique de Pasquale, préface d'André Major, 94 p.

37 *L'interview* de Jacques Godbout et Pierre Turgeon, 59 p.

38 *Elle* de Serge Mercier, préface de Pierre Bonenfant, 64 p.

39 *Aujourd'hui peut-être* de Serge Sirois, présentation de Martial Dassylva, 88 p.

40 *La soirée du fockey, Le temps d'une pêche* et *Le vieil homme et la mort* de André Simard, présentation de Normand Chouinard, 92 p.

41 *Le tricycle* et *Bud Cole Blues* de Gilles Archambault, 80 p.

42 *Maxime* de Ernest Pallascio-Morin, 96 p.

43/44 *Sept courtes pièces* de Robert Gurik, préface de Pierre Filion, 120 p.

45 *Allo... police!* de Robert Gurik et Jean-Pierre Morin, 88 p.

46 *La complainte des hivers rouges* de Roland Lepage, 104 p.

47/48 *La Coupe Stainless* et *Solange* de Jean Barbeau, 120 p.

49 *Le sauteur de Beaucanton* de Claude Roussin, 104 p.

50 *Les Comédiens* de Roger Dumas, préface de Pierre Filion, 95 p.

Achevé d'imprimer
par les travailleurs de l'imprimerie
Marquis Ltée de Montmagny,
le quinze mai mil neuf cent soixante-quinze
pour les Éditions Leméac